Editioner
Herausge

Friedrich Wolf

›Cyankali § 218‹

mit Materialien

Ausgewählt und eingeleitet
von Michael Kienzle
und Dirk Mende

Ernst Klett Verlag
Stuttgart Düsseldorf Leipzig

[ ] Vom Herausgeber eingesetzte Titel im Materialienteil ab Seite 66.
* Vom Herausgeber eingesetzte Fußnoten.

Umschlag: Friedrich Wolf in der Emigration in Moskau, 1934.
Foto: AKG, Berlin

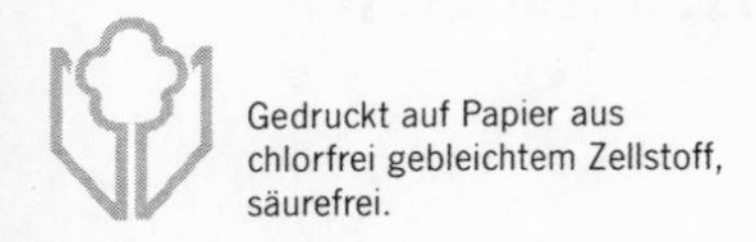

1. Auflage 1 8 7 6 5 | 2001 00 99 98

Alle Drucke dieser Auflage können im Unterricht nebeneinander benutzt werden, sie sind untereinander unverändert. Die letzte Zahl bezeichnet das Jahr dieses Druckes.
Der Abdruck folgt – auch hinsichtlich Rechtschreibung und Zeichensetzung – der Ausgabe Friedrich Wolf: Cyankali. § 218. Internationaler Arbeiter-Verlag, Berlin, Wien, Zürich 1929. Jetzt in Cyankali von Friedrich Wolf. Eine Dokumentation. Herausgegeben von Emmi Wolf und Klaus Hammer. Aufbau Verlag, Berlin und Weimar 1978 (©), S. 7–69. Lizenzausgabe mit freundlicher Genehmigung des Aufbau-Verlags.

Umschlag: Zembsch' Werkstatt, München, und Klett-Verlag, Stuttgart.
Fotosatz: Setzerei Lihs, Ludwigsburg.
Druck: Ludwig Auer GmbH, Donauwörth.
ISBN 3-12-351540-0

»Am Abend des 6. Juni warf eine Frau M. Pr. ihre zweijährige Tochter Marie und ihren halbjährigen Sohn Reinhold in die Spree. Passanten verhinderten, daß den drei ältesten Kindern das gleiche geschah.« Dr. Alice Vollnhals, die Leiterin der Schwangerenfürsorge der Krankenkassen Berlins, kommt in einem Bericht über diesen Fall zu dem Ergebnis: »Die Verzweiflungstat einer Mutter hat die Öffentlichkeit aufgewühlt; aber wie oft sind Mütter, gute sanfte Frauen, ebenfalls am Rande eines Abgrundes! Gibt es da keine wirkliche Hilfe? Doch! Geburtenregelung im weitesten Sinne des Wortes, Zerstörung der Unwissenheit in diesen Dingen!« (›Berliner Tageblatt‹ vom 26. Juni 1928.)

»Hier starb unter auffallenden Umständen ein 17jähriges Mädchen innerhalb einer Stunde. Eine amtliche Untersuchung ergab einen unerlaubten Eingriff zur Abtreibung der Leibesfrucht. Die Mutter der Verstorbenen wurde unter dem Verdacht der Beihilfe in Haft genommen.« (›Schwäbische Tagwacht‹ vom 21. Mai 1929.)

»... dort lernte er die Kassiererin M. F. kennen. Als nun die F. wieder in andern Umständen war, machte er auf deren eigenes Betreiben einen Abtreibungsversuch. Dabei wollte er von dem Sanitätssergeanten A. den Rat erhalten haben, er solle die Abtreibung mit Cyankali bewerkstelligen. Die F. ist dann an dem Gift nach schwerem Todeskampf gestorben.« (›Süddeutsche Arbeiter-Zeitung‹ vom 1. März 1929, Bericht über die Verhandlung des Schwurgerichts Augsburg, Mordprozeß G.)

Der 45. Deutsche Ärztetag in Eisenach schätzt die Zahl der jährlichen Abtreibungen in Deutschland auf eine halbe Million bis 800 000, darunter 10 000 Todesfälle (!) und 50 000 Erkrankungen. »Man rechnet in Deutschland jährlich mit 50 000 Erkrankungsfällen nach Fehlgeburten.« (Berichterstatter Lönne im Preußischen Landesgesundheitsamt.)

»Ich verstehe nicht, daß die armen, arbeitenden Klassen ein so schreckliches Leben führen müssen, während die Reichen, die Kinder haben könnten, entweder keine oder nur ein paar haben. Ich wollte, ich könnte mich auf die

Dächer stellen und den armen Frauen verkünden, was sie tun müssen.« (Brief einer Newyorker Arbeiterin an die Fürsorgerin von Newyork, Margaret Sanger, aus ›Zwangsmutterschaft‹.)

5 »Eine Schwangere, welche ihre Frucht vorsätzlich abtreibt oder im Mutterleib tötet, wird mit Zuchthaus bis zu fünf Jahren bestraft. Dieselben Bestimmungen finden auf denjenigen Anwendung, welcher mit Einwilligung der Schwangeren die Mittel zur Abtreibung oder Tötung bei ihr

10 angewendet hat.« (§ 218 des Strafgesetzbuchs für das Deutsche Reich.)

Personen

MUTTER FENT, *Arbeiterwitwe*
HETE, *ihre Tochter*
PAUL, *Heizer*
PROSNIK, *Hausverwalter*
KUCKUCK, *Zeitungsverkäufer*
MAX, *Metallarbeiter*
FRAU KLEE, *Arbeiterfrau*
DR. MOELLER, *Arzt*
MADAME HEYE
KRIMINALKOMMISSAR
KRIMINALWACHTMEISTER
EINE DAME
EINE ARBEITERIN

I

Küche bei Mutter Fent: Tisch, Bank, Hocker, Herd. An der Rückwand eine alte Chaiselongue; darüber Vergrößerung eines Photos von Vater Fent mit Medaille »Für fünfund-
5 *zwanzigjährige treue Dienste«. Ausgänge zum Flur und zur Kammer. Abend. Eine elektrische Birne brennt.*
Hete, zwanzigjährig, kocht am Herd, nimmt dann drei bis vier Paar Kinderstiefel und beginnt sie zu reinigen. – Frau Klee, dreißigjährig, mit sackartig hochgebundener Schürze,
10 *sitzt auf der Bank.*

FRAU KLEE *schnuppernd*: Dachhase oder Hottehü?
HETE: ’n Hammelstück.
FRAU KLEE: Wie vornehm du das sagst: »’n Hammelstück«; davon laufen einem ja allein schon die Appetitstrippen
15 zum Munde raus! Hete, sag mal, spielt ihr in der Lotterie?
HETE: Wir arbeiten.
FRAU KLEE: Das klingt auch wieder so nobel, Hete; alles an dir ist nobel; bist ’ne Sondernummer: wo du jetzt
20 ruffgerutscht bist vom Packraum übers Sortierband zum Büro ... Mensch, dir steht noch Großes bevor! Das laß dir von der Minna Klee sagen, die es nicht so weit gebracht hat, sondern nur zu drei kleinen Ratten und zu ’nem Syfong von Mann, der säuft, weil ihm ’s Elend zum
25 Halse raushängt, und der keinen Kies hat, weil er stempeln muß.
HETE: Hast du denn keinen Einfluß auf ihn, Minna?
FRAU KLEE: »Einfluß auf ihn ...«, das klingt alles so vornehm, Hete! Aber du verstehst ja nichts vom Leben!
30 Sieh mal, Hete, wenn du die Büros flimmern darfst, so ist das ’ne absolut sichre Sache. Ob Streik oder Aussperrung, auf den Büros ist immer Betrieb. Du bist also Dauerverdiener! Warum? Weil die Herren vom Büro ...
35 HETE: Wen Zuverlässiges brauchen.
FRAU KLEE: Ich sage: weil die Herren vom Büro was Sauberes brauchen für die Pupille ...

HETE *aufstehend*: Ach Quatsch!

FRAU KLEE: Tu dich nicht so, Mädchen! So 'ne Visage wie deine, so 'ne Figur, das ist 'n Kapital! Aber du merkst ja gar nicht, was die Männer für Stielaugen machen, wenn du abends heimgehst. Du, mir wird ganz schwach ... von dem Bratenparföng ... *Hete legt ihr ein Stück mit ein paar Kartoffeln auf.* Ach, das schmilzt einem direkt auf der Zunge ... *Ißt mit ganzer Wucht, hat, während Hete sich herumdreht, schnell Brotstücke, Kartoffeln und ein Ei in den Schürzensack gesteckt.* Großartig bei euch, Hete, der reinste Konsum!

HETE: Weil der Paul für Mutter 'nen Braten gebracht?

FRAU KLEE: Der Paul, ja der Paul, der ist knorke; hat wohl immer Schicht?

HETE: Na, der ist doch gelernter Heizer. Die Öfen blasen sie so schnell nicht aus, auch wenn mal zwei Wochen gefeiert wird.

FRAU KLEE: Habt ihr Dusel, Kinder! Wenn mein Oller nur so wäre; aber nur saufen und Bälger machen, und nun kommt schon 's vierte ...

Schritte, es kommt Paul, ein kräftiger fünfundzwanzigjähriger Arbeiter, mit Paket und Heizerrolle. Er wirft das Paket mit Wurst, Büchsenmilch, Zucker, Rollmöpsen, Kakao auf den Tisch.

FRAU KLEE: Paul! Mensch! Betriebsstoff!

PAUL *wirft Sachen auf den Tisch*: Los! Tanken, tanken, tanken!

FRAU KLEE: Junge, Junge! Knuffig! Schlackwurst, Edamer! Woher?

PAUL: Kantine. *Gibt ihr.* Da, Minna, aber für die kleinen Ratten! Hau ab jetzt! *Zu Hete:* Was macht Mutter? Rollmöpse, Bohnenkaffee, Büchsenmilch ... bin nebenbei Vertrauensmann im Werk geworden, Kantinenbulle!

FRAU KLEE: So 'n Schweinedusel! Jetzt wird wohl ausgeteilt, was wir ringezahlt!

PAUL: Pause, Minna! Die Kantine ist uns anvertraut, halbe ... halbe, da machen wir keinen Saustall draus! Da haste noch was Zucker und Kakao.

Stimme aus der Kammer: »Paul! Paul! Gib nicht alles weg!«
Keine Bange, Mutter! Für deine vier bleibt auch noch genug! Los, Hete! *Nimmt einige Sachen, mit Hete in die Kammer.*

FRAU KLEE *will hinaus, bleibt unentschlossen stehen, nimmt dann schnell noch eine Dose Büchsenmilch vom Tisch*: Für die kleinen Ratten, Paul, hörste! *Schnell ab.*
Hete und Paul aus der Kammer.

HETE: Das bringt Muttern wieder auf die Beine.

PAUL: Die ist ja vor lauter Hunger schlapp, weil sie für die Bälger sich alles vom Munde abknapst. *Vor der Bank, nimmt ein Paar kleine Stiefel.* So vier Paar, und die Minna hat drei ... Du, Hete, es werden manche bald ihr Brot drei- und viermal durchbrechen müssen ...

HETE: Schluß, Paul! Jetzt biste nicht in 'ner Versammlung!

PAUL: Richtig! *Packt sie, setzt sich mit ihr.* Du, Hete, unten bei den Stahlwerken, da wackelt's, die Gewerkschaft hat den Tarif gekündigt ... mir kann ja nichts passieren, keine Bange, ich bin Spezialarbeiter, verstehste, »werkständig«; drum haben sie mich ja auch in die Kantinenkommission gewählt. – Du, kann ich die Stiefel runtertun?

HETE: Klar. *Faßt an.*

PAUL: Weg. *Lachend*: Genossin! *Zieht sie aus, streckt sich.* Junge, das ist dufte ... so auf Strümpfen, auf dem kühlen Boden, fast wie auf Gras ... *Geht auf und ab.* Das richtige Vergnügen, wenn man den ganzen Tag auf den heißen Stahlplatten geklebt hat ... und der Radau von der Fabrik, verstehste ... hier ist mal Ruhe, Hete ... *Nimmt sie.*
Schritte. Man hört eine Stimme, die singt: »Wenn alle Vöglein schweigen, dann ruft der Kuckuck immer noch: Tagblatt! Illustrierte! Das Magazin! Elegante Welt! Das Große Los ist hier zu ziehn ...« Der Kuckuck, ein fünfundvierzigjähriger Mann mit einer Soldatenmütze, Litewka und Zeitungsmappe, ist eingetreten.

KUCKUCK: Da lachen selbst die Blattläuse: Hurra! Der Kuckuck ist da! *Ablegend.* 'n Abend, fromme Gemeinde!

PAUL: So früh, Kuckuck?

KUCKUCK *auf seine Mappe*: Ausverkauft! Leergepickt wie 'n Ei! Stand auch was drin in den Blättern, wartet mal: In Mexiko die Aufständischen bei Tampico eingeschlossen, USA-Fluggeschwader an der Grenze massiert ... Bird und Raillay haben neue Goldlager am Südpol entdeckt, England erhebt Protest ...

HETE *setzt ihm Kaffee mit Brot und Kartoffeln vor*: Mahlzeit, Kuckuck! Wollen in die Klappe.

KUCKUCK *essend*: So eilig heute, die jungen Leute, na ja ... verständlich ... aber es kommen noch andere Sachen: Im Simplontunnel ein Zug in Brand geraten, Schreckensszenen, fünfzehn Tote ... Li da Gita bricht den achtundsechzigstündigen Dauertanzrekord zwischen zwei Klavieren ... Krupka, der Stier von Hamburg, zieht Schönrath schon im ersten Gang Blut aus der Nase, schließt ihm im zweiten das linke Auge und schickt ihn mit einem klaren Kinnhaken ins Traumland!

PAUL: Blöde.

KUCKUCK: Muß wohl Paprika bringen! *Liest essend*: In Hull gigantische Gasexplosion, ganze Straßenzüge eingestürzt, bis jetzt hundertzwanzig Tote gemeldet ... was! ... Übrigens ist die Eckert mit ihren zwei Bälgern ins Wasser gegangen, das dritte war unterwegs ...

HETE: Die Eckert ... wo der Alte stempeln geht?

KUCKUCK: Was soll sie machen? ... Willst du mit fünf Mäulern leben bei zwanzig Mark die Woche? Nicht für 'nen Wald voll Affen! *Stille. Kuckuck steht auf, nimmt seine Mappe.* Den ›Sportbericht‹, Paul?

PAUL *haut's ihm aus der Hand*: Scheißblätter!

KUCKUCK: Nicht solche Bogen gespuckt, Paul ... Gute Pension, hier ... eßt mehr Obst, habt mehr Durchfall; morgen wieder!

Singt im Abgehen: »Wenn alle Vöglein schweigen, dann ruft der Kuckuck immer noch: Tagblatt, Illustrierte, Das Magazin, Elegante Welt, das Große Los ist hier zu ziehn. Da lachen selbst die Blattläuse.« – Stille. – Paul ist nach links gegangen, kommt wieder zurück.

PAUL: Kommt heut niemand mehr?

HETE: Nee.
PAUL: Schlafen die Würmer schon?
HETE: Na klar, schon lange.
PAUL: Schön stille ist's jetzt hier ...
5 HETE: Biste gern bei mir?
PAUL: Ausgeschlossen! *Küßt sie.*
HETE: Paul, ich weiß ja; aber sag mir's doch noch mal ...
PAUL: Nicht für 'n Groschen! *Preßt sie an sich.* Du ... daß unsereins nirgends allein ist, überall tritt man auf
10 Menschen, auf Kinder, auf Werkzeug ... das macht uns so schlapp und feige, daß wir uns alles stehlen müssen, alles ...
HETE: Ich kann schon nicht mehr denken ... mach 's Licht aus!
15 PAUL: Ja. *Geht zum Schalter.* Nee, das merkt der drunten, der Prosnik; der sah mich raufgehn.
HETE: Haste auch Mores vor dem Herrn Verwalter? *Leise*: Du, Paul ...
PAUL: Was ist denn?
20 HETE: Paul, ich bin letzte Zeit so müde, so kaputt ... du!! Es ist nicht mehr gekommen.
PAUL: Wie?
HETE *leise*: Schon sechs Wochen ist's weggeblieben; das war noch nie ... mir ist so schlecht.
25 PAUL: Ausgeschlossen!
HETE: So seid ihr!
PAUL: Unsinn, Hete! Ich komm' doch dafür auf!
HETE: Und wo soll's hin?
PAUL: In den Stall hier ...
30 HETE: Wo keine Luft, kein Platz, keine Ruhe, wo sie mit scheelen Augen auf jeden Bissen gucken?
PAUL *schweigt, dann hoch*: Viecherei auf dieser Scheißwelt! Die andern haben Platz und Ruhe und wissen's, wie man's macht; aber uns hängt so 'n verfluchter Balg ...
35 HETE *hält ihm den Mund zu*: Du sollst es nicht verfluchen, Paul!
PAUL *schaut sie an*: Heiliges Kanonenrohr, du hast's wohl schon gerne?
HETE: Frag nicht so blöde! Hör mal, Paul, ich glaube, wir

können's doch behalten, wo wir zwei beide jetzt verdienen.

PAUL: Wo wir zwei »in gehobener Stellung« sind. *Schritte die Treppe hinauf. Beide horchen nach links.*

HETE *reißt sich los*: Der Prosnik!

PAUL: Verdammt ...

Klopfen. Dann Stimme vom Flur: »Machen Sie auf! Ich weiß genau, wer bei Ihnen ist!« – Stille. – Stimme vom Flur: »Ich ruf' die Polizei!« – Stimme aus der Kammer: »Mach auf, Hete!« – Hete öffnet. – Von links kommt der Hausmeister Prosnik, ein etwa vierzigjähriger, hinkender Mann; er bleibt stehen, hat seine Uhr gezogen und schaut in verhaltener Erregung auf Paul.

PROSNIK: Na?

PAUL: 'n Abend.

PROSNIK: Zehn nach zehn! Um zehn ist die Haustür geschlossen! Verlassen Sie die Wohnung!

PAUL: Sonst ist's Ihnen wohl? Was wollen Sie denn überhaupt hier?

HETE: Haben Sie die Küche gemietet oder wir?

PROSNIK: Großartig. Wie lange sind wir denn die Miete schuldig? Zwei oder drei Monate?

HETE: Der Herr hat hier Abendtisch bei uns.

PROSNIK: »Abendtisch« ... na ja, wie lange dauert denn so 'n Abendtisch? Ich habe da so verschiedenes munkeln gehört; erlebe ich das noch einmal ... dann am Ersten raus hier!

PAUL: Mensch, tu dir bloß nicht so dicke! Du bist doch auch nur so 'n mieser, verprügelter Köter wie wir alle.

PROSNIK: Es kann nicht jeder gerade Knochen haben. – Na ... also?!

PAUL *heftig*: Herrgott, kann man ums Verrecken nicht mal abends mit 'nem Mädchen zusammensitzen, wenn man den ganzen Tag geschuftet hat?!

PROSNIK: Das Haus ist kein Karnickelstall. Alle Woche dreht eine 'n Gashahn auf oder geht ins Wasser! Das kommt mir in dem Haus nicht vor! Garantiert!!

HETE: Was ist denn heut los!

PROSNIK: Ach was, jetzt wird's mir aber zu dumm! Ich

habe den Herrn schon 'n paarmal in der Frühe hier runtergehen sehen! Frag mal deine Mutter; die wird wissen, was auf Kuppelei ...

PAUL *packt ihn mit einer Hand am Hals und drückt ihn gegen den Tisch.*

Mutter Fent kommt aus der Kammer.

MUTTER FENT: Paul! Paul! *Zieht ihn weg.* Bist du verrückt. Den Herrn Verwalter, den Herrn Prosnik ...

PROSNIK: Macht nichts, Frau Fent! Recht so! Ist ja ganz schön, wenn man weiß, mit wem man's zu tun hat!

MUTTER FENT: Aber Herr Prosnik, junge Leute!

PROSNIK: Ich bin auch kein Greis und bin doch kein Viech! Falls Sie diese Handlung billigen ...

HETE: Jetzt hauen Sie aber ab!

MUTTER FENT: Klappe, Hete! – Welche »Handlungen«? Herr Prosnik, für meine Kinder lege ich die Hände ins Feuer. Wir haben immer auf Reellität gehalten, mein seliger Mann und ich. *Stolz:* Glauben Sie, der hätte für nichts und wieder nichts die »Silberne Medaille für treue Dienste« bekommen?! Redlichkeit nährt jederzeit; und wo rechte Eltern sind, da müssen auch rechte Kinder sein!

PROSNIK: Das ist 'ne Grundlage ...

Frau Klee eilig herein.

FRAU KLEE: Kinders! Kinders! Die Nachtschicht kommt nach Hause ... Plakate sind angeschlagen ...

PAUL: Wo?

FRAU KLEE: Vor dem ›Konsum‹ steht 'ne Schlange Frauen ...

PAUL: Quatsch!

MUTTER FENT: Schnell, Minna, runter ... da ist was los ... nimm 'nen Sack mit ... Streik ... die schrauben in der Stadt die Preise wieder hoch ...

FRAU KLEE: Mensch, jetzt heißt's Tempo!

Mit Mutter Fent ab. – Max, ein junger Arbeiter, eiligst herein.

MAX: Aussperrung, Paul!

PAUL: Scheiße! *Zieht schnell die Schuhe an.* Der Nordbezirk?

MAX: Seit Abend alle Betriebe!
PAUL: Das Syndikat wird schon wieder verhandeln!
MAX: Aber unsere Leute sind unruhig; die Preise für die Lebensmittel könnten steigen wie drunten bei den Zechen und beim englischen Kohlenstreik; die Frauen stehen schon vorm Werk ... 5
PAUL: Wo ist der Betriebsrat?!
MAX: Vergast!
PAUL: Los! *Will ab.*
HETE: Paul ... 10
PAUL *vor ihr*: Was ist?
HETE *sieht ihn an*: Nichts. – Mach's gut!
Paul und Max schnell ab. – Stille.
PROSNIK *in der Mitte der Stube, zu Hete*: Die gehn ran an den Speck! 15
HETE: Machen Sie sich keine Hoffnung, daß es wieder Stunk gibt, wenn der Paul dabei ist!
PROSNIK: Stramme Jungs ... aber wenn die Aussperrung zwei Monate dauert oder gar drei, da wird auch der fetteste Hahn klapprig. 20
HETE: Die fettesten sind lange nicht die besten!
PROSNIK *packt sie.*
HETE *ihn abschüttelnd*: Sie lahmer Hund!!
PROSNIK *zur Tür hin*: Danke schön. *Schnell ab.*
Hete setzt sich erschöpft. Dann Stimme vom Flur: »Hete! Hete! Der Konsum ausverkauft! Sie ziehen zur Kantine! Säcke her! Körbe! Schnell, Hete!« 25
HETE *steht auf*: Ja ... ja ... *Geht mit dem Korb hinaus.*

II

Zimmer von Prosnik: Langer Tisch, wie eine Barriere, darauf großes Kontobuch. In der linken Ecke ein Bett, daneben kleines Schränkchen. Prosnik sitzt am Tisch und rechnet. Frau Klee und Frau Witt, eine abgehärmte, etwa fünfunddreißigjährige Arbeiterin, kommen von links.

PROSNIK: Raus mit die Kinder! Ich weiß, daß Sie sechs Bälger haben! Die Mitleidsoffensive zieht nicht mehr!

FRAU KLEE: Machen Sie sich doch nicht so künstlich, Herr Prosnik!

PROSNIK: Künstlich? Meint ihr, es macht dem Prosnik Spaß, in so 'nem Hasenstall die Miete einzutreiben!

FRAU KLEE: Es geht ja gar nicht um die Miete, Herr Prosnik ...

PROSNIK: Wohl ums Lotteriespiel!

FRAU KLEE: Beinah, Herr Prosnik! *Leise*: Die Witt ist wieder hops.

PROSNIK: Was! Sechs Kinder, der Mann arbeitslos, mit der Miete seit Monaten im Rückstand, und jetzt das siebente ... Sie, Witt, was denken Sie sich eigentlich dabei!

FRAU KLEE *zieht ihn weg*: Die kann doch längst nicht mehr denken, Herr Prosnik. Aber geholfen werden muß, Herr Prosnik.

PROSNIK: Ausziehen muß die Bagage! Mit der Miete im Verzug, aber Kinder kann man sich leisten! Ausziehen, à tempo! Dies Haus ist kein Bums!

FRAU KLEE *nimmt Prosnik beiseite*: Die Witt bleibt, Herr ... Verwalter! Und Sie werden ihr helfen, Herr Verwalter, so wie Sie ... mir vor drei Jahren geholfen haben!

PROSNIK *erschrocken*: Bist verrückt!

FRAU KLEE: Es gibt da ... so 'n Ding, Herr Verwalter, so 'n Instrument ...

PROSNIK: Unsinn, lächerlich ... davon weiß ich nichts.

FRAU KLEE: Davon wissen Sie nichts mehr! Da war ich noch jung und knusprig ... davon wissen Sie nichts mehr? Aber es gibt andere, die davon wissen!

PROSNIK: Minna, ihr seid ja alle toll! Ihr saust ja alle mit herein! Zuchthaus steht darauf, Zuchthaus …

FRAU KLEE *unbeirrt zum Tisch*: Da drinnen lag's, in der Schublade, ganz rechts, ganz hinten, in 'ner Schachtel und dann noch in Watte gewickelt …

PROSNIK *stellt sich vor die Schublade*: Ich hab's nicht mehr!

FRAU KLEE *vor ihm, leise und heftig*: So kaufen Sie eben ein neues, Sie!! *Ruhig*: Oder ich kann ja auch in so 'n Geschäft gehen und sagen, ich möcht' so 'n Instrument, so 'ne Spritze, wie der Herr Verwalter eine hatte …

Stimme von draußen: »Wenn alle Vöglein schweigen, dann ruft der Kuckuck immer noch: Tagblatt! Illustrierte! Das Magazin! Elegante Welt! Das Große Los ist hier zu ziehn …« Der Kuckuck mit Mutter Fent eintretend: »Da lachen selbst die Blattläuse: Hurra, der Kuckuck ist da!«

KUCKUCK *mit neuen Zeitungen*: Imposante Zahlen, was, tolle Zahlen, diese Aussperrung … die Börse lustlos, die Lebensmittelpreise ziehen an, sieben Selbstmorde in einer Spalte … bedauerlich, dem Kuckuck bleibt sein Lied weg und Herrn Prosnik die Spucke …

PROSNIK *mit Zeitung*: Die Hochöfen ausgeblasen?

MUTTER FENT: Die Hochöfen?

KUCKUCK: Jawohl, meine Herrschaften, es wird immer großzügiger: Seit die Öfen kalt, haben die Eisenhütten die Lieferungssperre über die Blechfabriken und Walzwerke verhängt; das Syndikat hat den Spruch des Schlichters abgelehnt, es gibt diesmal eine verlängerte Suppe …

PROSNIK *liest*: Bis heute neunzigtausend Arbeiter ausgesperrt …

MUTTER FENT: Neunzigtausend?! Aber die müssen doch leben, die müssen doch essen …

KUCKUCK: Scheibenhonig, Mutter! Das kann noch Wochen dauern, Monate, Jahre, Jahrzehnte … in England waren die Kumpels ein Jahr lang nicht in den Gruben. *Zieht eine Zeitung*. Hier: »Arbeitslosenkrise, ein Weltphänomen!«

PROSNIK: Weil um jeden Dreck gestreikt wird!

FRAU KLEE: Quatsch! Ausgesperrt sind wir!

PROSNIK: Jacke wie Hose! Immer geht's um die Lohntüte! Hier im ›Anzeiger‹ klar wie Brühe: »Infolge dauernder Streiks und Lohnforderungen stehen die Reallöhne heute schon zwanzig Prozent über dem Friedenssatz und haben die Waren so verteuert, daß der Mittelstand nicht mehr kaufen kann und der Innenmarkt völlig erlahmt ...«

MUTTER FENT: Wenn nur der Konsum wieder aufmacht!

Hete schnell von links.

HETE: Mutter! Auch die Betriebsleitung schließt!

FRAU KLEE: Aha!

HETE: Was »aha«! Die Generaldirektion bleibt offen; da habe ich drei Räume in Schuß zu halten, das ist meine Arbeit, die bleibt!

FRAU KLEE: Gratuliere.

MUTTER FENT: Du bist nicht gekündigt?

HETE: Gekündigt? Der Herr Direktor sagte zu mir: »Fräulein Fent, in Ihnen sehe ich noch ein Reis vom alten Stamm, noch einen Menschen, dem Treue und Pflichterfüllung kein leerer Wahn sind! Solche Menschen sind in diesen Tagen des Verfalls ein Geschenk!« sagte er.

KUCKUCK: Sagte er.

HETE: Ich soll als Hilfe für die gnädige Frau mit ihnen ins Sommerhaus an die See.

MUTTER FENT *stolz*: Na, Herr Prosnik, ich glaube, um unsre Miete brauchen Sie sich nicht mehr zu sorgen!

PROSNIK: Doch Sie vielleicht um die Hete! *Zieht sie beiseite.* Lassen Sie das nicht zu! Das ist Gift für das Mädchen, das ist 'ne Versuchung ...

MUTTER FENT: Keine Bange, Herr Prosnik, das Mädchen ist aus reeller Familie, das ist ein Reis vom alten Stamm!

FRAU KLEE *bei Hete*: Und Dusel muß man haben, 'nen Schweinedusel, Hete ...

KUCKUCK: Großartig gemurmelt: Das Leben ist 'ne Lotterie, nur 'ne umgekehrte. Heute hingen wieder so zwei kleine Würmer, pro Nase einen Tag alt, in der Schleuse.

HETE: Zwei Kinder?
KUCKUCK: Nu was denn!
HETE: Tot?
KUCKUCK: Auf der Wanderung ins ewige Leben.
FRAU KLEE: Aber was tuste dagegen?
KUCKUCK: Ist ja der Jammer, daß ihr's immer noch nicht wißt! Letzte Woche stand im ›Lokalanzeiger‹ 'n Bericht des Ärztetags: In Deutschland gehen jährlich achthunderttausend Mütter zum Abtreiber und verschaffen sich damit 'n Freibillett ins Zuchthaus, wenn man sie schnappt. *Nachdenklich*: Achthunderttausend Mütter ... 'ne ganze Großstadt voll. *Plötzlich*: Oder wenn man sie aneinanderstellt, mit ausgestreckten Armen, meine ich, je Mutter gleich einen Meter ... und dann noch die toten Würmer dazu ...
HETE: Hör auf!
FRAU WITT *geht zur Tür.*
FRAU KLEE *zu ihr*: Was hast du?
FRAU WITT: Mir ist schlecht. *Hinaus.*
FRAU KLEE: Die sollt' man nicht alleine lassen. *Will nach.*
KUCKUCK: Ich meine wegen der Anschauung ...
FRAU KLEE *bleibt stehen.*
KUCKUCK *von Frau Klee bis Hete die Stube gleichsam ausmessend*: Wenn man sie so aneinanderstellt, je Mutter gleich einen Meter, dann sind das achthundert Kilometer oder 'ne Entfernung wie von Köln nach Stettin ... achthunderttausend Mütter ...
Stimmen und Lärm draußen.
PROSNIK *zum Fenster*: Immer dieselben Zicken.
KUCKUCK: Demonstration!
MUTTER FENT: Zur Kantine; da gibt's Späne!
FRAU KLEE: Und was zu fressen!
MUTTER FENT: Wenn sie nur nicht das Lager stürmen!
FRAU KLEE: Kartoffeln! Wurst! Mehl! Raus!! *Zieht Mutter Fent mit hinaus.*
KUCKUCK: So 'n Weibersturm ist mehr wie 'n Gasangriff!
PROSNIK: Kommt noch ganz anders ... *Sieht Hete.* Na, Fräulein Hete, möchten Sie nicht auch an dem Vormarsch der Arbeiterbataillone teilnehmen?

HETE *zu Kuckuck*: Wem haben denn die zwei Kinder gehört?

KUCKUCK: Die zwei Kinder? – Ach, jetzt ist die immer noch bei den eingewässerten Würmern in der Schleuse! Das macht man doch nachts ... und 'n bißchen Mitleid hat doch auch die Polente ... wenn die all den stummen Kindlein und Unglücksmüttern nachforschen wollte!

HETE: Aber ich denke, es werden jedes Jahr soviel bestraft?

KUCKUCK: Klar! Aber doch nicht alle; Not macht helle!

HETE: Und manche sterben?

KUCKUCK: Natürlich ... Klar ... wenn man zuviel einnimmt ... es hat alles seine Grenzen. Im Weltkrieg, da bei Lille und Maubeuge, da gab's ja mehr internationale Kinder als Knöppe an den Waffenröcken; da nahmen die Franzosenmädels ooch so 'n Zeug wie Cyankali ...

PROSNIK: Lassen Sie solche Gespräche in diesem Haus!

KUCKUCK: Richtig, bon gezwitschert; Herr Prosnik ist orthodox; das muß ein Verwalter sein, verstehe ...

PROSNIK: Man braucht ja nicht alles gleich herauszukotzen, was man weiß!

KUCKUCK: Prächtig tiriliert! Par exemple? Ein Wörtlein nur, Herr Einsiedler, bloß um zu wissen, wie der Klöppel hängt ...

PROSNIK: Zwei, wenn du willst! Glaubst du, ich bin ein Idiot oder ein Eunuche, was, 'ne impotente Wanze, wie ... Hete, geh hinaus ... zwei statt einem ... *Leise*: Schmierseife und Cyankali!

KUCKUCK: Donner! Ich habe Sie unterschätzt, Herr Prosnik! Sie haben von der Warte geschaut ...

HETE: Wie heißt das?

KUCKUCK: Was?

HETE: Das Mittel!

KUCKUCK: Ein Mittel? Welches Mittel? Haben wir von einem Mittel gesprochen, Herr Verwalter? Ausgeschlossen! Diese Phantasie! Du willst wohl behaupten, daß wir solche Mittel vertreiben? Träume nicht am hellen Tag, mein Kind, das Leben ist ein Blatt im Wind ... wir halten uns da raus, nicht wahr, Herr Prosnik? – Abflug!

Die Blattläuse warten!

Singend ab. – Prosnik hat sich hinter den Tisch gesetzt und in sein Kontobuch vertieft. Hete geht nach links.

PROSNIK: Bleiben! Deine Mutter ist noch mit 'nem Monat Miete im Verzug!

HETE *legt einen Schein hin*: Bitte!

PROSNIK *sieht sie an*: Woher?

HETE: Wollen Sie's abziehn.

PROSNIK: Der Tonfall der Direktion ... absolut! Das lernt man nicht auf einmal. *Hoch.* Hete, Mädchen, du gehst nicht mit ihnen.

HETE: Was wollen Sie?

PROSNIK: Nichts ... gar nichts ... *Hält sie plötzlich am Handgelenk.* Dageblieben, Hete, hier bei uns ... wir brauchen auch mal was Glattes, Sauberes, Schniekes ... die Hengste in den Büros sollen uns nicht immer 's Frühgras fressen!

HETE: Als ob Sie's nicht mit denen hielten ...

PROSNIK: Weil ich dem Kommerzienrat die Miete apportieren muß wie ein Jagdhund den Hasen und weil ich euch dabei in die Rippen packe und du mir dann sagst: Du lahmer Hund! Mensch, ich will doch auch mal was Besseres.

HETE: Ich will nicht ...

PROSNIK *hilflos wild*: Wehre dich nicht, Hete, ich könnte dir das Herz herausholen und das Blut aus deinem Hals. *Packt sie.* Du bist ja so gut, so süß, so 'n süßes Stück Fleisch ...

HETE: Paul!!

PROSNIK *hält ihr den Mund zu, kämpft mit ihr.*

HETE *stößt ihm die Hände vor die Brust*: Ich bin schwanger ...

PROSNIK: Ah ... das soll dir helfen! *Sieht sie plötzlich an.* Der?

HETE *nickt.*

PROSNIK: Und jetzt bereust du's?

HETE: Wir können das Kind doch nicht haben, wo die Öfen aus sind, die Betriebe still, der Paul arbeitslos und nur ich verdiene ... *Plötzlich*: Du!! Das Mittel! Schnell, das

Mittel! Prosnik, lieber Prosnik, sag es mir! Es darf nicht kommen!

PROSNIK: Was geht das mich an?

HETE: Doch geht es dich an! Doch! Du kennst das Mittel! Wir sind ja so dumm, so hilflos, so erledigt! Hilf mir, Prosnik! Ich tue ja alles! *Klammert sich an ihn.* Hilf mir, hilf mir, guter Prosnik!

PROSNIK: Als ob das so einfach wäre ...

HETE: Du kannst es, du kannst es ...

PROSNIK *beklemmt*: Loslassen! Arme weg!

HETE: Erst sieben Wochen ist's ja ... aber es darf nicht kommen ... wohin soll es denn ... es lebt ja noch gar nicht, so 'n Punkt, so 'n Nichts, da geht's doch noch, und du hast das Mittel ... ich hab' ja so Angst, so Angst ...

PROSNIK: Laß mich los, du; das tut nicht gut, wie du mich hältst ... weg, das tut nicht gut ... *Preßt sie über den Tisch.* Ich lasse die Nacht hier auf ... du, hörst du?

HETE *schweigt.*

PROSNIK: Hörst du?!

HETE *reglos*: Kannst du mir helfen?

PROSNIK *hat sie losgelassen, geht um den Tisch zu dem Schränkchen am Bett, öffnet eine Schublade und nimmt dort eine längliche Schachtel.*

HETE: Tut es weh?

PROSNIK: Das geht leicht, Kind, leicht, sage ich ... *Umfaßt sie.* Ganz leicht ...

Schritte vom Flur. – Hete horcht erschreckt. – Stimme: »Hete! Hete!«

HETE: Der Paul!

PROSNIK *will links zur Tür.*

PAUL *schnell von links*: Gott sei Dank!

PROSNIK: Sie wünschen?

PAUL: Hete ... die Schupo hat die Kantine besetzt! Schußgefahr! Deine Mutter??

HETE: Fort ...

PAUL: Ich hole sie ...

HETE *Sprung zu ihm*: Nein, Paul, nein!!

PAUL: Ich muß ja doch hin, die Weiber sind wie 'n Sack wilder Wanzen, die Gewehre gehen sonst los ...

HETE: Paul, Paul ... bleib!!

PAUL: Was machst du für Augen?

HETE: Geh nicht fort, du, geh nicht fort! Du darfst jetzt nicht gehen ... bleiben, Paul, bleiben ... du, ich hab' ja so Angst, so Angst!

PAUL: Unsinn!

HETE: Ich gehe mit, ich gehe mit, Paul!

PAUL: Ich schließ' dich hier ein, du!

HETE *außer sich*: Paul, Paul, er packt mich wieder ... *Will schnell die Schachtel mit dem Instrument greifen.* Das da!

PROSNIK *reißt die Schachtel vom Tisch an sich*: Verrückt?

PAUL: Nanu?

HETE *an ihn geklammert*: Hilf du mir, hilf du mir, Paul ... er will mir helfen, ja ... aber er will noch mehr, noch mehr, noch viel mehr ...

PROSNIK *retiriert hinter den Tisch:* Verrückt, vollständig verrückt!

HETE: Ich kann das doch nicht tun, Paul, bloß weil er's hat und weil sonst keiner mir hilft, keiner ... und das Kind in meinem Leib, das wächst, wächst, bald ist's so groß, daß man nicht mehr helfen kann ... aber man soll mir helfen, dafür kann er alles verlangen ...

PAUL *gegen Prosnik*: Ich schlag' ihm die Zähne ...

HETE: Halt, Paul! Laß ihn, er hat's ... wir brauchen's!

PROSNIK *reißt eine Schublade auf*: Bitte, diesen Raum sofort zu verlassen! Hausfriedensbruch!

PAUL, *der ihm gefolgt*: Bitte, uns doch einmal zu zeigen, was Sie da haben!

PROSNIK *weicht vor Paul rückwärts um den Tisch herum aus, bis er wieder neben Hete steht; erschrickt vor dieser Einkreisung*: Machen Sie sich nicht unglücklich, Sie! Vergreifen Sie sich nicht an meinem Eigentum!

PAUL *hat Prosniks Arm gepackt*: Her das Ding!!

PROSNIK: Ich tu's schon ...

PAUL: Dreck!

PROSNIK: Wenn du noch lange meine Hand schraubst, geht es vorher kaputt ...

HETE: Paul!!

PAUL *haut Prosnik die Faust zwischen die Augen.*
PROSNIK *sackt um.*
HETE *schleicht zu dem Betäubten, nimmt ihm die Schachtel vorsichtig aus der Hand, springt zu Paul und zieht ihn in*
5 *eine Ecke*: Du ... Du ... da ist's ... da ist's ...
PAUL: Ja, ja ... *Geht zu Prosnik, hebt seinen Arm, der niedersinkt, fühlt seinen Puls.* Schlapp, aber noch da ... das hätte gefehlt!
Rufe: »Sanitäter! Sanitäter! Herr Prosnik!« – Hete springt
10 *zur Tür, schließt ab. – Von draußen Klopfen: »Herr Prosnik, Herr Prosnik! Die Witt ist tot, aus dem Fenster gesprungen, kaputt, tot!!!« – Klopfen. »Herr Prosnik!! Hören Sie denn nicht ... zum Fenster hinaus ...«*
HETE *hat während des Klopfens Paul zu sich in die Ecke*
15 *gezogen, klammert sich an ihn, hält sich die Ohren zu*: Ist sie weg, Paul? Ist sie ruhig, Paul? Ist sie weg?
PAUL *streicht ihr über den Kopf und Rücken*: Ja, du ...
HETE: Die Witt ... mit ihren sechs Bälgern ... die Witt aus dem Fenster gesprungen, kaputt ... ja, was soll'n denn
20 jetzt die Kinder ... *In wilder Angst reißt sie die Schachtel an sich, drückt sie Paul in die Hand.* Aber du hilfst mir, du ... schwör es mir, heute noch ... Paul, du hilfst mir!!
PAUL *nimmt die Schachtel, betrachtet sie, dreht sie hin und*
25 *her*: Wenn ich nur wüßte ...
HETE: Red nicht, Paul! Hast du Angst, Paul, ekelt's dich, Paul, sag mir's! *Packt ihn.* Paul, hast du mich noch lieb, hast du mich noch lieb!!
PAUL *hilflos, benommen*: Wenn ich nur wüßte, wie ...
30 *Sieht Hete, nimmt ihren Kopf.* Aber wenn du schreist, und wenn es dir weh tut ... *Sie stehen ratlos da.*

Paul doesn't know how to help Hette.

III

Küche bei Mutter Fent. Um den Tisch sitzen: Mutter Fent, Frau Klee, der Kuckuck und Hete. Alle brocken schweigend trockne Brotstücke in ihre Kaffeetassen.

FRAU KLEE: Ja, ja ... »schnell tritt der Tod den Menschen an«; ich sagte doch gleich, man solle die Witt nicht alleine lassen ... die hatte 'ne ganz weiße Nase, und in ihrer Pupille war ein Kreuz ... 5

KUCKUCK: Nase hin, Pupille her, liebe Blattlaus ... die Sache hängt mit den roten Blutkörperchen zusammen ... wer die ›Koralle‹ liest, der weiß genau, daß der Mensch fünf Millionen rote Blutkörperchen hat; fehlt aber davon ein Teil, sagen wir: eine Million, so gibt zuerst die Leber ihre aufgespeicherten Blutzellen her ... 10 15

FRAU KLEE: Red keine Brühe, Kuckuck! Darum brauchte die Witt doch nicht 'ne Viertelstunde drauf aus dem dritten Stock 'nen Kopfsprung aufs Straßenpflaster zu machen, daß man sie nachher zusammenrollen konnte wie 'n Gasschlauch! 20

KUCKUCK *brockt und trinkt*: Minderwertigkeitsgefühle.

MUTTER FENT: Man soll 'ne Tote nicht beschimpfen!

KUCKUCK: Beschimpfen? *Schiebt seine Tasse fort.* Die Sache ist doch so: Wenn statt fünf Millionen Blutkörperchen infolge mangelnden Betriebsstoffes nur drei Millionen da sind, so gibt zuerst die Leber ihre Vorräte her, das dauert so zwei bis drei Wochen; dann in der vierten Woche kommen die Muskeln dran und schließlich der Herzmuskel, der wird dann immer dünner und schrumpft, weil die roten Blutkörperchen ... 25 30

FRAU KLEE: Hör auf mit deinen Blutkörperchen, olle Mistkrähe ...
Will der Geist entweichen schon,
Trink die schwarze Volksbouillon!
Gießt Kaffee ein. 35

MUTTER FENT: Wenn die Blutkörperchen aber nun immer

weniger werden, dann ... »schrumpft« der Herzmuskel?

KUCKUCK *feierlich*: Er schrumpft!

MUTTER FENT *unruhig*: Hete, mußt du nicht aufs Büro?

5 HETE: Heut nicht.

MUTTER FENT: Warum?

FRAU KLEE: Den Morgen ist die ganze Direktion abgerückt, als würde sie schon in 'ner Stunde zu Hackepeter verarbeitet.

10 KUCKUCK: Man könnte sich 'n Monogramm in den Hintern beißen!

Er legt den Kopf auf den Tisch. Alle sitzen da und brüten vor sich hin. Frau Klee und Kuckuck, die ganz vorn hocken, legen den Kopf auf die Arme, als wollten sie
15 *schlafen; sie sprechen dann leise, ohne ihre Haltung zu ändern.*

FRAU KLEE: Hast noch 'nen Brocken, Kuckuck?

KUCKUCK *gibt ihr aus der Tasche.*

FRAU KLEE: Zementsteine sind Butter dagegen.

20 KUCKUCK: Nicht so schlingen, liebe Lerche! Hartes Brot macht Wangen rot! Gut im Mund herumwälzen ... immer wieder von rechts nach links, von links nach rechts ... sättigt enorm.

FRAU KLEE: Kuckuck ... müssen wir denn alle ver-
25 recken?

KUCKUCK: Nicht alle ... nein ... höchstens ein Drittel oder die Hälfte, verstehst du ... und dann »verrecken«, das ist so eine eurer Übertreibungen; die Organe trocknen ein bißchen ein, das Darmfett schwindet – soll übrigens
30 gesund sein gegen Gicht – und dann schrumpft die Leber und der Herzmuskel ...

FRAU KLEE: Und die Blutkörperchen! *Springt auf; zu Mutter Fent*: Zur Kantine! Zu fressen will ich haben!! Wo sind denn die all mit ihrer großen Klappe, der Paul
35 und der Maxe ...

HETE: Der Paul hat nicht so 'ne Revolverschnauze wie du; der handelt ...

FRAU KLEE: Jawohl, der handelt; der mimt Ordnung, wenn uns die Rippen durch die Haut spießen! Scheibenhonig alles, was ihr da quasselt! Es gibt nur eins auf der Welt, was kein Schwindel ist: Fressen, Pennen und Kinderkriegen …

KUCKUCK *hat, um abzulenken, aus der Ecke die »Gewehrgeige« geholt: ein Militärgewehr, dessen Lauf entfernt ist; statt des Laufes sind von dem Schaft her über das Visier – über Kimme zum Korn – ein paar dicke Stahlsaiten gespannt. Pause.* Sammlung! Wie denken die Herrschaften über ein Lied? *Stimmt die Geige.* Präludium geschenkt … während der Vorführung bleiben die Saaltüren geschlossen … also – *singt* –:
Der Heizer Christian Schulze, sonst ein rechtlicher Mann,
Eines Tages er zu seiner Arbeitsstelle kam:
Betriebseinschränkung! – Er ward nochmals entlohnt;
Dann stand er auf der Straße und guckte in den Mond.
Wir müssen sparen und rationalisieren,
Die Wirtschaft neu aufbaun und sanieren,
Klar, Mensch!
Mit Christian Schulze der Neuaufbau begann,
Morgen kommen auch du und ich daran,
Bitte, nicht drängeln!

ALLE, *während der Kuckuck mit bumsendem Kolben den Takt angibt*:
Mit Christian Schulze der Neuaufbau begann,
Morgen kommen auch du und ich daran,
Bitte, nicht drängeln!

KUCKUCK:
Der Heizer Christian Schulze nun stempeln ging,
Achtzehn Mark die Woche ein Jahr lang er empfing,
Achtzehn Mark die Woche für fünf Kinder, Weib und sich;
Eines Tags 'ne Grippe bei ihm sich einschlich.
Da änderte er das Datum für das Krankengeld,
Da ward er ob Betrugs vor Gericht gestellt,
Klar, Mensch!
Mit Christian Schulze der Neuaufbau begann,
Morgen kommen auch du und ich daran,
Bitte, nicht drängeln!

FRAU KLEE: Mit Christian Schulze der Neuaufbau begann ...
KUCKUCK: Na ... was singt ihr nicht?
FRAU KLEE: Morgen kommen auch du und ich daran ...
5 Du, das ist schon kein Lied mehr.
HETE: Wir machen wohl doch noch 'nen Kaffee, Mutter!
MUTTER FENT: Meinetwegen ... wenn's alle ist, ist's alle.
Hete beginnt Kaffee zu mahlen; alle sitzen schweigend da. – Auf einmal hört man Schritte. Langsam sieht einer nach
10 *dem andern auf. Frau Klee zu Kuckuck: »Polente?« – Hete hat die Kaffeemühle auf den Boden gestellt und ist nach links zur Tür gelaufen ...*
HETE: Paul!!
Von links Paul und Max; sie gehen langsam vor und
15 *bleiben stehen.*
PAUL: Kohldampf, Mensch!
KUCKUCK: Herzlichstes Beileid! Unser Diner ist eben beendet; wir sind grade bei der Nachspeise: Fletschere mit Luft!
PAUL: Los, Hete, zwei Schwerarbeiter kommen zum
20 Schanzen!
HETE: Nichts da.
PAUL: Na was, Maxe?
MAX: So 'n Beschiß!
FRAU KLEE *hoch*: Ihr müßt grad reden, ihr!! Laßt euch als
25 Betriebsräte wählen, die Arbeiterinteressen zu vertreten, und jetzt, wo wir ausgesperrt sind, laßt ihr keinen an die Kantine, bis wir alle verrecken, ihr Arschwedel!
PAUL *hat aus Rock und Hosen schnell Würste, Büchsenmilch, Konserven hervorgezogen, haut Frau Klee eine*
30 *Wurst über die Schulter.* Fangen wir mit dem Verrecken mal an, liebe Lerche.
FRAU KLEE *zupackend*: Würste, Milch! Rollmöpse!!
MAX *zieht aus seinen Knickerbockers ebenfalls Würste, Brötchen, Eier, Käse*: Jawohl, wir bringen was mit in die
35 Ehe!
KUCKUCK: Da staunen die Blattläuse! Manna vom Himmel! *Beginnt.*
FRAU KLEE *springt auf, gibt Max einen Kuß*: Liebling! Herzchen!!

PAUL *zu Frau Klee, die mit Macht ißt*: Langsam, Minna, du frißt dir 'nen Bruch!
FRAU KLEE *mampfend*: Laß mich, Herzchen, laß mich ...
KUCKUCK *ebenfalls mit breiten Armen überm Tisch*: So 'n Rollmops, 'n wundervolles Tier ... *Entbüchst, streicht Brötchen, wickelt Käse aus* ... 'n wahrer Lebensretter ... da sprudeln die Magensäfte, da feiern die Blutkörperchen Hochzeit, enorme Vermehrung, mindestens fünf Millionen ... da lacht das Herze und wird wieder gut ... Mutter, die Volksbouillon!
Der Kaffee wird herangebracht, Hete gießt ein, alle haben sich um den Tisch gesetzt, greifen sich, was grade vor ihnen liegt, und beginnen stumm und mit ganzer Kraft zu essen; Hete versucht einen Bissen, legt ihn aber wieder hin und trinkt nur ab und zu einen Schluck Kaffee; sie sitzt wie unbeteiligt da. Die andern essen in mächtigem Rhythmus; die folgenden Sätze fallen nur wie Brocken ihnen aus dem Mund.
MAX: Endlich!
PAUL: War höchste Eisenbahn!
MUTTER FENT *immer essend*: Woher habt ihr das?
KUCKUCK *zu Frau Klee, die sich kauend zur Wand abgewandt*: Minna, friß nicht so! Das ist unfein und gibt Leberkrebs! *Dreht sie dem Zimmer zu: Sie hat in der einen Hand eine Wurst, in der andern eine Gurke und beißt abwechselnd hinein.* Seht nur, ihre Augen sind geschlossen, ihr Gesicht ist ganz verklärt!
MUTTER FENT: Quassel nicht; aber ruhiger macht das. *Immer essend zu Paul*: Ist das ausgeteilt?
MAX: Jawoll, Mutter ... »ausgeteilt«.
PAUL: Aus der Kantine.
MUTTER FENT: Wieder offen?
PAUL *mit Geste*: Klar.
FRAU KLEE: Gekrampft, Herzchen, gekrampft!
HETE: Gekrampft, Paul?
MUTTER FENT: Eingebrochen?!
PAUL: 'n Schloß ging schon hops dabei. Aber nun feste ran an die Mutter! Hete, 'ne Pfanne her, acht Eier hineingeblättert und Wurst drüber ...

MUTTER FENT *steht auf*: Fünfzig Jahre bin ich ehrlich gewesen ...

FRAU KLEE *kauend*: Und jetzt haste Hunger!

PAUL *zu ihr*: Mutter, hör mal, wir machen's doch wahrhaftig nicht zum Spaß oder um Kies draus zu schlagen ... nee, aber kann man euch denn langsam hier verrecken sehn ... die Sache ist doch nicht von heute oder morgen, die geht über Monate!

MUTTER FENT: Und wenn wir das hier verdrückt haben, was dann?

PAUL: Wird sich finden.

KUCKUCK *ganz versunken mit Frau Klee essend*: Zauberhaft, liebe Blattlaus, wunderbar ... weißte, Minna, mit drei Millionen Blutkörperchen, da biste 'n hungriges Biest, 'n Verbrecher, mit vier Millionen biste einer, der stempeln geht, aber mit fünf Millionen Blutkörperchen, da bist du ein sittliches Wesen, ein Mensch.

FRAU KLEE *ißt mit ganzer Wucht*: Großartig, Herzchen, großartig!

MAX: Minna, du schaufelst ja wie 'ne Baggermaschine! Minna, Täubchen, denkst du auch an deine Kinder?

FRAU KLEE *füllt ihre Schürze mit Sachen*: Klar, aber man muß doch erst wieder Betriebsstoff haben in der Untergrundbahn!

MUTTER FENT: Das sind Grundsätze!

KUCKUCK: Still, Mutter! Verdirb nicht die Akustik! *Zieht sie zu sich.* Dein Wohl, Max, alter Räuber! *Winkt ihm mit einer Wurst.*

MAX *empfindlich*: Räuber?! Wir haben Ordnung geschafft!

FRAU KLEE *steckt ihm eine Wurstecke in den Mund*: Still, mein Junge, iß, Bruderherz ... mir ist so sanft jetzt, kein Streit! – Kuckuck, die Klimperminna, die Hallelujakiste ... laßt uns singen, liebe Andächtigen ...

KUCKUCK *holt die Gewehrgeige und stimmt sie*: So lustig heute, die jungen Leute! Na ja, man ist ein andrer Mensch, wenn man was im Bauch hat ... obschon man zu großen Taten hungrig sein soll! Aber alle den Refrain jetzt mitsingen, wenn ich »peng« mache! *Singt*:

Der Heizer Christian Schulze, ein Betrüger von Rufe,
Schnell sank er jetzt tiefer von Stufe zu Stufe:
Er stahl, stach, schoß, bekam sehr schlechte Manieren,
Drei Schupos killte er, hatte nichts zu verlieren;
Sogar ein besseres Fräulein er in die Ewigkeit sandte,
Bis ihn der Arm der Gerechtigkeit übermannte,
Gottlob!
Mit Christian Schulze der Neuaufbau begann,
Morgen kommen auch du und ich daran,
Bitte, nicht drängeln!

ALLE:
Morgen kommen auch du und ich daran,
Bitte, nicht drängeln!

KUCKUCK:
Der Mörder Christian Schulze, ohne Spur von Qual
Verzehrt er in Ruhe sein Henkersmahl:
Kraut, Braten und einen halben Liter Wein;
Da spricht er: »Nun laßt uns einmal ganz fröhlich sein!
Zum erstenmal in meinem Leben aß ich mich knüppelsatt,
Nicht jeder in seinem Leben das Glück je hat! –
Fertig! Los!«
Mit Christian Schulze der Neuaufbau begann,
Morgen kommen auch du und ich daran,
Bitte, nicht drängeln!

ALLE *wild*:
Mit Christian Schulze der Neuaufbau begann,
Morgen kommen auch du und ich daran,
Bitte, nicht drängeln!

FRAU KLEE *aufspringend*: Kuckuck! *Gerührt.* Komm her, ich muß dich lieben! *Küßt ihn.*

MAX: Aber diese Welt sollte man in Klump hauen, wo man schießen und krampfen muß, um zu seinem Fraß zu kommen ...

FRAU KLEE: Reg dich nicht auf, Maxe, mein Süßer ... solang nicht die Hose am Kronleuchter hängt, ist das alles ... Kinder, mir ist so wohl ... ha, schau, die Mutter, wie sie stopft! Da schweigen alle Geigen!

MUTTER FENT *essend*: Man wird ruhiger ...
KUCKUCK: Oder verrückt ... *Hat seine Gewehrgeige genommen und tanzt mit ihr*:
Hullala, tirallala ...
5 Die Geige ist des Kuckucks Liebe,
In ihr da schlummern all seine Triebe,
Hullala, tirallala ... ich glaube, der Geist kommt über mich!
FRAU KLEE: Kommen lassen! Kommen lassen! *Tanzt mit*
10 *ihm.*
PAUL, *der mit Hete beiseite gestanden*: Total besoffen!
MAX: Kannste wohl werden, vom bloßen Fressen kannste besoffen werden, wenn du 'ne Woche gehungert hast!
FRAU KLEE *sinkt erschöpft auf ihren Platz*: Dufte, dufte,
15 Jungens ... direkt 'n Gedanke mit Backobst ... *Plötzlich*: Aber jetzt muß ich zu meinen Gören!
Packt Essen ein; schnell ab. Die andern sitzen wieder um den Tisch; sie essen weiter oder legen den Kopf auf den Arm, um zu nicken. Hete ist zum Herd getreten; Paul ihr
20 *nach.*
PAUL: Du hast ja keinen Bissen gegessen!
HETE: Mir ist so übel.
PAUL: Wie siehst du denn aus?
HETE: Sei doch still! Wenn's jemand hört! – Du, Paul, ist
25 die Direktion wirklich abgerückt?
PAUL: Total vergast!
HETE: Jetzt verdienen wir alle nichts mehr.
PAUL *leise*: Du! Geh doch mal zum Arzt.
HETE: Meinste wirklich?
30 *Draußen Stimmen. Frau Klee mit Prosnik von links.*
FRAU KLEE: Keine Geheimnisse, Herr Prosnik! In diesem Palast zieht der Schmalzparföng durch alle Dielen und Ritzen! Tief atmen, Herr Prosnik; das alleine macht schon satt!
35 PROSNIK: Gute Stimmung, scheint's.
KUCKUCK *immer noch essend*: Einfach himmlisch, Herr Verwalter; bitte sich zu bedienen; es ist reichlich!
PROSNIK: Es soll eingebrochen sein.
FRAU KLEE: Unglaublich!

PROSNIK: Ihr fühlt euch verdammt sicher!

MAX *auf der Bank liegend, spielt Mundharmonika*: Was kann uns schon passieren?

PAUL *vor ihm*: Verpfeift uns der Herr Verwalter, so tät's mir leid um ihn!

HETE *dazwischen*: Paul!!!

PROSNIK: Ist wohl alles gekauft, was da liegt?

PAUL: Gegen so 'n krummen Hund bin ich mir zu schade! *Dreht sich weg.*

PROSNIK *wild*: Aber nicht zu schade, 'nem Mädel 'nen dicken Bauch zu machen!

PAUL *fährt herum; hält an sich; ruhig*: Los, Max; hier tritt man auf Wanzen. Komm!

MUTTER FENT: Was habt ihr nur?

PAUL: Laß gut sein, Mutter! *Leise zu Hete*: Zum Abend! *Mit Max ab.*

PROSNIK *auflachend*: Guten Rutsch, meine Herren!

HETE *erregt gegen ihn*: Was haben Sie? Was lachen Sie so?

PROSNIK: Man wird sich doch noch seines Lebens freuen dürfen, Fräulein Hete!

Paul und Max im Sprung herein.

MAX: Polente! Hof und Straße besetzt!

FRAU KLEE *gegen Prosnik*: Der Hund! Lach doch! Lach doch! Gebt ihm zu lachen!!

PAUL *bei Hete*: Bleiben?

HETE: Übers Dach!!

Paul springt mit Max rechts in die Kammer. Man hört Schritte und Rufe.

FRAU KLEE *zu Mutter Fent*: Mutter ... auf den Flur, die Kerle anquasseln und quatschen, quatschen, quatschen, bis die beiden vergast sind!!

Zieht Mutter Fent und Kuckuck mit hinaus. Man hört draußen erregte Worte und Rufe, die sich entfernen. Dann Stille. Prosnik steht in einer Ecke. Hete räumt den Tisch ab.

HETE: Weshalb stehen Sie noch da?

PROSNIK: Weshalb nicht?

HETE: Muß Paul Ihnen noch mal eine hinfunken?

PROSNIK: Hat er Ihnen schon ...

HETE: Biest!

PROSNIK: Vielleicht kann dir das »Biest« mal nützen, nachdem der Freund verschüttging.

HETE: Der kommt wieder!

PROSNIK: Zweifelhaft! Landfriedensbruch, Einbruch, Raub, Fräulein Hete.

HETE: Ich bin nicht »Hete« für Sie, verstehen Sie mich!

PROSNIK: Ich vergreife mich nicht an dir, keine Angst ...

Rufe im Hof.

HETE *am Fenster*: Lauf, Paul! Lauf, lauf! Sie laufen auf den Dächern! Duck dich! Halte dich!

Mutter Fent herein.

MUTTER FENT: Verduftet!

PROSNIK: Sie werden auch so noch geklappt ...

HETE: Sie ... Schuft!

PROSNIK: Es fragt sich, wer der größere Schuft ist: der ein Mädel hops macht oder der ihm helfen will!

MUTTER FENT: Was heißt das?

PROSNIK *auf Hete*: Fragen Sie die!

MUTTER FENT *vor ihr*: Du! Was ist?!

HETE *schweigt.*

MUTTER FENT *packt sie*: Das ist nicht wahr!!

HETE: Doch, Mutter.

MUTTER FENT: Gelogen!

HETE: Mutter, Mutter, Angst habe ich, vor dem, was kommt, wenn niemand mir hilft und dem Kind, Mutter ... Angst!!

MUTTER FENT: Und ich? Und dein toter Vater?

HETE: Mein Vater, mein Vater ... meinem Vater, dem tut es nicht mehr weh, Mutter. *Heftig*: Aber mir tut es weh, mir und dem Kind in meinem Leib und auch dem Paul, der tausendmal sauberer ist als alle, die ihm was anschmeißen wollen!

MUTTER FENT: Halt den Mund! Glaubst du, du kannst noch 'nen Fresser zu Tisch bringen, der nichts verdient!

HETE: Mutter!!

MUTTER FENT: Ach was: Mutter!! Hast du mich gefragt? Meinst du, du kannst hier niederkommen, daß die ganze Straße mit Fingern auf mich alte Frau zeigt!

HETE: Das glaubst du ja selbst nicht, Mutter!!

MUTTER FENT: Red nicht so doof!

PROSNIK *nimmt sie beiseite*: Ich will Ihnen mal was sagen: Sie sollten vielleicht doch anders reden, Frau Fent! Ich habe da unten bei mir 'ne Kammer, 'ne ruhige, stille Kammer ... sie wird da nicht hungern und nicht frieren und vor Blicken geschützt sein.

HETE: Sie sind verrückt!

MUTTER FENT *gibt ihr eine Ohrfeige*: Auch noch frech ist die Schlampe!

HETE *steht starr; nimmt schnell ihre Mütze, rennt hinaus.*

PROSNIK: Wo wollen Sie hin? *Ihr nach.*

MUTTER FENT *steht ratlos*: Muß man dazu Kinder haben?

IV

Sprechzimmer von Dr. Moeller: Schreibtisch, Instrumentenschrank, Solluxlampe, Waschbecken, Stühle. Zugänge rechts und links. – Dr. Moeller hat eben eine Dame untersucht und beraten; er hat ein Zeugnis geschrieben und kuvertiert es.

DAME: Ich kann bestimmt auf Ihre Diskretion rechnen, Herr Doktor?

DR. MOELLER: Ärztliche Schweigepflicht, meine Gnädigste! *Stempelt den Umschlag und gibt ihr den Brief.*

DAME: Darf man wissen, Herr Doktor, ob das Zeugnis positiv ausfiel?

DR. MOELLER: Es unterliegt noch der Entscheidung des ausführenden Gynäkologen, der den Eingriff zu machen hat.

DAME *schnell*: Dafür garantiere ich.

DR. MOELLER: Sie unterschätzen unsere Verantwortlichkeit!

DAME: Was haben Sie zu riskieren? Bitte, ich verstehe!

Aber soll ich mir wegen eines Zufalls einen ganzen Winter verderben lassen, jetzt, da ich in bester Form bin! Mein Hockeyteam in Davos erwartet mich dringend.

5 DR. MOELLER: Unser Gutachten gründet sich lediglich auf den sachlichen Befund.

DAME: Herr Doktor, ich liebe es nicht, mich durch Nichtbeantwortung von Fragen demütigen zu lassen: Haben Sie den Eingriff befürwortet?

10 DR. MOELLER: Glauben Sie, ich schreibe sonst! *Hilft ihr in den Mantel.*

DAME: Tausend Dank! Ich danke Ihnen sehr ...

Dame, vom Arzt geleitet, nach links ab. Dr. Moeller geht umher, ordnet seine Instrumente, setzt sich an den
15 *Schreibtisch, macht eine Eintragung; geht dann nach rechts: »Na, bitte!« – Von rechts kommt Max.*

MAX *tritt vor und legt seinen Krankenschein auf den Schreibtisch.*

DR. MOELLER *nimmt ihn und macht seine Eintragungen*:
20 Wo fehlt's?

MAX: Zwischen den Rippen, Herr Doktor.

DR. MOELLER: Fieber?

MAX: Ich weiß nicht.

DR. MOELLER *immer noch schreibend*: Machen Sie frei!

25 MAX: Ganz?

DR. MOELLER: Doch nur, wo Sie Beschwerden haben, Mensch! Schon acht Mann heut von eurem Betrieb! Streikfieber, was?

MAX: Wie meinen, Herr Doktor?

30 DR. MOELLER: Ich meine, Krankengeld ist auch nicht zu verachten, wenn die Gewerkschaftskasse versagt und der Staat keinen Kies mehr hat, was?

MAX *mit nacktem Oberkörper*: Ich bin zur Untersuchung gekommen, Herr Doktor.

35 DR. MOELLER *mustert ihn scharf*: Aha! Wo sitzt es denn, mein Sohn?

MAX: Hier, zwischen den Rippen ... Schmerzen beim Atmen.

DR. MOELLER *mit Hörrohr horchend*: Einatmen ... aus!

Einatmen ... aus! Luft anhalten! *Legt die Hände unter die Schulterblätter.* Sagen Sie: Neunhundertneunzig! Siebenhundertsiebenundsiebzig! – Prima! Immerhin, fabelhaftes System, das ihr da habt ... unkontrollierbar, denkt ihr ... *Setzt sich wieder an den Tisch.* Rippenfellentzündung, was? 5

MAX: Möglich.

DR. MOELLER: Essig! Meinen Sie, mich zwickt's nicht einmal bei dem Sudelwetter hier und da? Nein, da sage ich mir: Nacken steif! Zähne aufeinander! Es ist der Geist, der sich den Körper schafft! 10

MAX: Was fehlt mir, Herr Doktor?

DR. MOELLER: Etwas Härte gegen sich selbst, Verantwortungsgefühl gegenüber dem Staat ...

MAX: Wenn man sich nicht mal zwei Eier kaufen kann und einen Liter Milch! 15

DR. MOELLER: Aha!

MAX *erregt*: Natürlich! Für euch ist Hunger keene Krankheit!!

DR. MOELLER: Schlagworte! Phrasen! Auf den Menschen kommt es an, auf den Menschen! Auf seinen Glauben an Fleiß, Redlichkeit, Tüchtigkeit! Selbst eure Frauen streiken ja und wollen keine Kinder mehr! Kein Tag vergeht, daß nicht eine den Gashahn aufdreht oder zu uns kommt mit verbrecherischem Ansinnen! 20 25

MAX: Soll es denn noch mehr Kinder geben ... und Hungerkrüppel ... und Arbeitslose?

DR. MOELLER: Wollen Sie gegen das wichtigste göttliche Gebot handeln: Du sollst nicht töten!

MAX *sieht ihn nur an.* 30

DR. MOELLER: Ein Volk, das keinen Geburtenüberschuß hat ...

MAX: Wird kein Kanonenfutter und keine Reservearmee von Streikbrechern mehr liefern!

DR. MOELLER: Moskau! Der Rubel rollt wieder! Meinen Sie, wir merken das nicht! – Hier, Ihr Schein! 35

MAX *blickt darauf*: Gesund! Grabendienstfähig! Ich danke, Herr Doktor! *Will nach rechts.*

DR. MOELLER *nach links weisend*: Dort! *Max links ab.* Das

fehlte mir noch im Wartezimmer! *Wäscht sich; nach rechts,* Bitte!

Herein kommt Hete, sehr zögernd.

DR. MOELLER *am Schreibtisch*: Bitte, den Krankenschein! 5 *Sieht auf.* Hätten Sie die Güte, sich etwas schneller zu äußern! Was fehlt Ihnen?

HETE: Herr Doktor ... *Schweigt.*

DR. MOELLER *erkennt jetzt*: Es warten draußen noch zehn Kranke, Verehrteste, die alle auf mich ein Anrecht 10 haben; ich bitte, sich kurz zu fassen!

HETE *heftig, aber leise*: Sie müssen mir helfen, Herr Doktor!

DR. MOELLER, *obschon er es weiß*: Nochmals, worum handelt es sich?

15 HETE *in großer Angst*: Es ist kein Verbrechen, Herr Doktor ... es ist wirklich kein Verbrechen, wenn Sie mir helfen, Herr Doktor!! Ich mußte weg von Haus ... wir haben ja für uns selber nichts ... die Aussperrung nun schon vier Wochen, kaum Brot und Kartoffeln, sechs Menschen in 20 einer Kammer ... wie soll da noch ein siebentes herein! Sie sind doch Arzt, Sie sehen täglich ja das ganze Elend, Sie müssen mir helfen!!

DR. MOELLER *aufstehend*: Wenn ich recht verstehe, fordern Sie von mir eine strafbare Handlung!

25 HETE: Herr Doktor, ich weiß nicht, was Sie da sagen ... ich brauche Ihre Hilfe, Herr Doktor ... wir Arbeiterinnen wissen ja viel zuwenig von diesen Dingen, die wir wissen müßten, jeden Tag kommen sie an uns heran ... und dann hilft uns niemand.

30 DR. MOELLER: Und Ihre Mutter, was sagt die?

HETE: Die redet ... von Schande.

DR. MOELLER: Ist's vielleicht 'ne Ehrentat? Aber eine Errungenschaft der »neuen Zeit« ist es, da alle Bindungen und Zügelungen zerschnitten! Oder nicht?

35 HETE: Ja, jaja, Herr Doktor! Sie haben recht! Aber ich brauche jetzt Hilfe, Herr Doktor, Hilfe! Es darf nicht kommen; es hat keinen Fleck zum Liegen, keine Windel, keinen Korb, keine Nahrung ...

DR. MOELLER: Und der Vater?

HETE: Oh, Herr Doktor ... *Von Weinen geschüttelt*: Ich kann nicht mehr.

DR. MOELLER *faßt sie an der Schulter*: Immer dasselbe, jede Sprechstunde ... *Streicht ihr übers Haar.* Kommt denn niemand für das Kind auf?

HETE: Doch, Herr Doktor, doch ... aber er hat doch keine Arbeit.

DR. MOELLER: So drücken sich alle.

HETE *vor ihm*: *Der* drückt sich nicht, der steht für das hin, der mir's gemacht hat!

DR. MOELLER: Weshalb ist er denn nicht hier ... jetzt?

HETE: Weil er türmen mußte.

DR. MOELLER: Ah so!

HETE: Nein, nein, Herr Doktor, kein gemeiner Mensch, kein Dreckskerl! Ein Mensch, der hinsteht für die andern, der Paul! Er hat nur aus Not gehandelt, für die andern, Herr Doktor!

DR. MOELLER: Aber Sie läßt er in Not?

HETE *erschlafft einen Augenblick, reißt sich dann zusammen*: Er würde hinstehen, auch für das Kind; aber Sie sehen selbst, daß er verfolgt ist; Sie sind doch auch ein Mensch, ein Mensch, ein Arzt, der helfen soll ...

DR. MOELLER: Wenn ich Ihnen helfen dürfte. Wie soll ich's denn machen? Das Gesetz bindet uns Ärzten doch die Hände ... *Einen Augenblick schwankend; dann*: Die Sache scheint Ihnen doch nicht ganz klar, meine Teure! *Holt aus dem Schreibtisch ein Buch.* Hier, hier, im Strafgesetzbuch des Deutschen Reiches der § 218, bitte: »Eine Schwangere, welche ihre Frucht vorsätzlich abtreibt oder im Mutterleib tötet, wird mit Zuchthaus bis zu fünf Jahren bestraft. Dieselben Strafvorschriften finden auf denjenigen Anwendung, welcher die Mittel zur Abtreibung bei ihr angewendet oder ihr beigebracht hat.« – Bitte!

HETE *steht schweigend da.*

DR. MOELLER *eifernd, fast begeistert*: Nicht wahr, das klingt anders! Und dann: Der 45. Deutsche Ärztetag in Eisenach und der Reichstagsausschuß haben bekundet, daß in Deutschland dennoch jedes Jahr mindestens achthunderttausend verbotene Abtreibungen stattfinden; über zehntausend deutscher Mütter sterben jährlich an solch unsachgemäßer Behandlung durch Nichtärzte! Gegen fünfzigtausend schwere Erkrankungsfälle kommen nach solchen schwarzen »Fehlgeburten« in Deutschland jährlich zu unserer Kenntnis!

HETE *sieht ihn an*: Und da können Sie noch Arzt sein?

DR. MOELLER *stutzt*: Wie? Was soll das heißen? Wollen Sie mir etwa die Schuld an diesen Zuständen zuschreiben? Gerade wir Ärzte, wir reden uns ja die Lungen lahm; aber wenn heute alle Bindungen und Pflichten fallen, wenn man lieber in die Kinos und auf die Sportplätze rennt und die ewige Wahrheit verhöhnt: »In Schmerzen sollst du Kinder gebären ...«

HETE *geht stumm zur Tür.*

DR. MOELLER *ihr nach*: Was wollen Sie tun?

HETE *sieht ihn an*: Dorthin gehen, wo man mir hilft.

DR. MOELLER: Machen Sie keine Dummheiten, Mädchen! Gehen Sie nicht dahin, Mädchen, wo man Ihnen Cyankali gibt oder mit Schmierseife spritzt oder wo man Sie mit einem unsauberen Instrument verletzt, wo Sie dann im Kindbettfieber in Krämpfen sterben; gehen Sie nicht dahin, ich warne Sie!

HETE *aufschreiend*: Aber Sie ... Sie schicken mich ja dahin!!

DR. MOELLER *erschrocken*: Ich? Ich schicke Sie dahin? Sind Sie toll? Ich habe Sie nicht gerufen und nicht weggeschickt! Soll ich ein Verbrechen begehen? Kann ich den Paragraph ändern?

HETE *starrt ihn an*: So viele Ärzte seid ihr in Deutschland ... Tausende Ärzte ... und so laßt ihr die Menschen sterben? *Hält sich am Tisch.*

DR. MOELLER: Setzen Sie sich doch ... hier ... Sie sind überreizt, seien Sie doch ruhig, nehmen Sie sich zusammen ... *Gießt Hoffmannstropfen in ein Glas Wasser.* Trinken Sie, es wird Ihnen sofort leichter ... sehen Sie, sagte ich nicht ... alles geht vorüber, mein Kind, alles ...

HETE *steht auf.*

DR. MOELLER: So, mein Kind, nun überschlaf das Ganze ... morgen sieht das alles schon ganz anders aus ... eine rein psychogene Sache, mein Kind, sehr typisch für den zweiten Monat ... *Jovial*: Und nun gehst du zu deiner Mutter, hörst du, zu deiner Mutter; es wird alles wieder gut! *Führt sie nach links.* Weißt du, man muß nur den Kopf nicht verlieren, immer tapfer sein und den Nacken steif, Nacken steif ...

HETE *hilflos links ab.*

V

In einem Zeitungskiosk an einer Straßenecke. Ein Drittel des Raums links dient dem Verkauf; dort zwei kleine Fenster mit Zahlbrett und Auslage. Der größere Teil des Kiosks ist als kleiner Wohnraum eingerichtet: Öfchen, Hocker und im Hintergrund eine Schlafpritsche, unter der Stöße von Zeitungen und Zeitschriften liegen. Die Schlafpritsche selbst ist durch zwei Zeltbahnen, die hochgeschlagen werden können, verdeckt. Der ganze Kiosk wird von Häusern überragt. Straßenlärm draußen.
Am Schalter links verkauft Kuckuck dauernd Zeitungen. Auf einem Hocker im Wohnteil sitzt Max und sortiert.

KUCKUCK *am Schalter*: ›Berliner Illustrierte‹, ›Die Morgenausgabe‹, ›AIZ‹ ... zwanzig Pfennige, bitte! »The Star of Oklahoma« auf dem Weg zum Südpol gesichtet ... Selbstredend schon in dieser Nummer! ... Streikender Mob der Walzwerke demonstriert und nötigt Polizei zum Eingreifen: neun Tote, fünfunddreißig Verwundete ... *Immer verkaufend*: In Pforzheim zwei Elefanten von Sarasani ausgebrochen, rennen bei Tietz in die Herrenabteilung, erheblicher Sachschaden, doch keine Menschenleben zu beklagen ... *Zu Max*: ›Das Tagblatt‹, los! *Nimmt, wieder vorn.* Sturmfahrt des

›Graf Zeppelin‹ über Mittelasien; der Luftriese wechselt einen Propeller bei voller Fahrt ...

MAX: Schon zwölf?

KUCKUCK: Halb; um zwölf wird's erst schnaffte!

5 MAX: Keine ›Rote Fahne‹ heute?

KUCKUCK: Beschlagnahmt!

MAX: Scheiße! Aber diese Dreckblätter, die immer grad uns mit Jauche bespritzen, die verkaufste!

KUCKUCK: Leben, fressen ... fressen, leben, liebe Blatt-
10 laus!

MAX: Ist das konsequent?

KUCKUCK: Wäre der Kuckuck konsequent, hätte keiner von uns 'nen Platz, wo er pennt! – Allright ... weder du noch ich, noch Paul ... please!

15 MAX: Zu blöde, sie machen richtig Jagd auf ihn ... auf der Straße drehten sie schon ihre Köppe nach uns.

KUCKUCK: Bist doch ein mickriges Würmchen, Max, daß du nicht mal auf das Mädchen gewartet!

MAX: Türme du mal drei Tage und Nächte herum, wenn dir
20 alle auf den Schlips gucken ...

KUCKUCK: Was du dir nicht einbildest! Nur der Paul ist mit Namen genannt, weil er der »Rädelsführer« ist!

MAX: Als hätten wir unter Mutterns Rock Erbsen gepflückt!

25 KUCKUCK *erregt*: Aber nur einer ist doch der »Rädelsführer«! Mensch, das ist doch 'n Begriff! *Verkauft immer.*

MAX *nach der Pritsche*: Sei doch stille!

KUCKUCK *am Schalter*: Zwanzig Pfennige, mein Herr, für die ›Illustrierte‹ ... das weiß doch jedes Kind! Das ist
30 doch 'n Begriff! Hören Sie nicht! Zwanzig! Haltet ihn, haltet ihn! Sie!! Sie Hochstapler! *Rennt links zur Tür hinaus.*

MAX *tritt an den Schalter*: ›Die Morgenpost‹, ›Generalanzeiger‹, die zweite Ausgabe ›Deutsche Zeitung‹ ... *Von*
35 *der Pritsche blickt unter der Zeltbahn Paul hervor; er ist übernächtigt und verwahrlost.*

PAUL *springt auf*: Max, Mensch, biste blöde! Weg vom Schalter, laß die Klappe runter! *Zieht ihn fort; zeigt ihm eine zusammengeknüllte Zeitung mit einem Bild.*

MAX: Junge, das biste ja selbst! Puppe! *Liest*: »Paul Krüger, der Rädelsführer der sabotierenden Arbeiter, ist wegen Einbruchs, Raubs und Landfriedensbruchs unter Anklage gestellt. Für die Ergreifung des Krüger oder die Mitwirkung an seiner Ergreifung wird eine Belohnung von eintausend Mark ausgesetzt.« *Schaut ihn mit Hochachtung an.* Mensch!

PAUL: Na?

MAX: Sei nicht gemein!

PAUL: Aber an den Schalter darfst du dich nicht mehr stellen, klar, Max! Wo sie uns doch früher immer zusammen gesehn haben! Und dem Kuckuck kocht ja so schon 's Wasser in der Hose! Liest der's, ist's hier aus!

MAX: Verfluchter Mist!

Kuckuck stürzt herein, Paul hat sich schnell auf die Pritsche gehauen.

KUCKUCK *atemlos*: Ist das noch Christentum! Ist das noch Menschentum! 'nen armen Kolporteur um einen Groschen zu betrügen. Er saust mit der geklauten ›Illustrierten‹ los, ich hinter ihm her, er springt auf die Elektrische, ich gucke in den Mond; aus! *Heftig*: Seit zweitausend Jahren predigen sie, wie der Mensch leben soll! Aber wie lebt er?

MAX: Dreckig.

KUCKUCK *erregt vor ihm*: Aber wieso lebt er denn dreckig und kommt in zweitausend Jahren nicht 'nen Zentimeter vorwärts?

MAX *ruhig*: Wieso kommt Kuhscheiße aufs Dach?

Es klopft am Schalter.

KUCKUCK *springt hin, öffnet:* ›Die Illustrierte‹, ›Tagblatt‹, ›Generalanzeiger‹ ... *Fährt zurück. Mutter Fents Kopf im Schalter.*

MUTTER FENT: Ich sah dich laufen, Kuckuck. Kann ich mal rein?

KUCKUCK: Oje, die Mutter ... da staunen die Blattläuse!

Während Kuckuck links zur Tür geht, wirft sich auch Max schnell auf die Pritsche; beide ziehen die Zeltplane zu. Mutter Fent tritt langsam ein.

KUCKUCK *zieht sie nach vorn*: Schön von dir, Mutter, daß

du auch mal den Pressechef besuchst ... bißchen eng, was ... na, setz dich, bist wohl müde. *Schiebt ihr einen Schemel hin.* Sind die kleinen Blattläuse gesund, na, ich meine doch nur so ... was redste denn nicht, Mutter ...
5 Hier haste noch ’ne Mark, kein Pensionsgeld, nur für Milch für die kleinen Würmer.

MUTTER FENT *steckt das Geld mechanisch ein*: Hast du sie gesehn?

KUCKUCK *verlegen*: Wen meinste? Ach so, ja, weißte, ich
10 komme aus meinem Kabuff hier auch nicht raus ... nee, wirklich, ich habe sie nicht gesehen, die Hete ... aber das ist kein schlechtes Zeichen, du! Die wird Arbeit suchen.

MUTTER FENT *starr*: Hier auf der Hauptstraße soll sie sein
15 ... so um sechs Uhr ... manchmal nachts, manchmal mittags ...

KUCKUCK: Da muß man dann aber scharf hinsehen ... um sechs Uhr abends bei dem Betrieb!

MUTTER FENT *vergräbt den Kopf in den Händen*: Ich Aas!
20 Ich Aas! Wenn sie umkommt, wenn sie schon im Dreck liegt! *Springt auf.* Ich glaube, du, ich hab’ sie vorhin gesehn, da an der Haltestelle; schon war sie weg ... dann kamst du gelaufen, und ich glaub’, auch du rennst hinter ihr her ... wir liefen alle umeinander rum in dem
25 Schlamassel ... sie muß noch draußen sein, Kuckuck ... laß, laß mich!!

Stürzt hinaus. Kuckuck steht still da. Dann hebt sich die Zeltplane, Max und Paul kriechen vorsichtig heraus.

30 PAUL: Was hat sie gesagt? Hinter den Lappen hier hört man auch gar nichts!

KUCKUCK: Na ... sie hat nach ihr gefragt.

PAUL: Wie kommt sie denn her?

KUCKUCK: Hat mich draußen gesehn; da dacht’ sie wohl,
35 wo der Kuckuck rennt, da gibt’s Rosinen.

Die Tür geht auf. Schnell ist Hete drin, zieht die Tür zu, bleibt stehen.

PAUL *Sprung zu ihr*: Hete!!

HETE: Ist die Mutter fort?

PAUL: Die Minute.
HETE *dreht den Schlüssel herum*: Kann ich sitzen?
MAX *bringt ihr einen Hocker.*
KUCKUCK: Mensch, das ist 'n Fest! Mach mal Kaffee, Paul! *Es klopft dauernd am Schalter; Stimmen: »Ist das 'n Betrieb! Herr Kollege, Ihnen haben sie wohl hypnotisiert?« – »Saubande!« Springt zum Schalter. »Sofort, meine Herrschaften! Bitte sehr! Sofort! Zwanzig Pfennige!« Zurückrufend: »Zureichen, Maxe, Munition! – Jawohl, frisch gelegt, noch warm aus der Presse! Das Wochenblatt, Der Junggeselle, selbstverständlich! Jedem das Seine, mein Herr! Eine Mark, bitte!« Er verkauft, während Max, der nun auch ganz links steht, wie eine Maschine ihm zureicht; zwischendurch und später werden Zeitungspacks ›Der Mittag‹, ›Die Abendausgabe‹ durchs Fenster geworfen, die Max aus der Umhüllung schneidet und schnell ordnet.*
PAUL *hat eine Kaffeemühle genommen und beginnt zu mahlen.*
HETE *steht auf, geht zu ihm, streicht ihm übers Haar.*
PAUL *hält inne.*
HETE *nimmt seinen Kopf hoch*: Du!
PAUL *steht auf, preßt sie an sich*: Hete, ich bin ja so gemein!
HETE *hält ihm den Mund zu*: Red nicht solch Zeug! Das hat keinen Wert. Sag nur ... ob du mich liebhast, ob du mich immer noch liebhast?
PAUL: Du! *Küßt sie.*
KUCKUCK *am Schalter*: Selbstverständlich ... ›Die elegante Welt‹, ›Das Leben‹, ›Die Schönheit‹ ... an diesem Dessin fehlt es nie bei uns, bitte ... auch ›Sport und Sonne‹ ... eine Mark bitte!
HETE, *die zurückgetreten*: Bist du immer hier?
PAUL: Sie sind mir auf den Hacken, Hete. Hier mitten in der Stadt sucht mich keiner.
HETE: Weshalb bist du überhaupt noch in der Stadt?
PAUL: Weil ... du noch hier bist, siehste! Aber ich konnt' nicht zu euch kommen, Hete, am Abend, was hätt' das für 'n Sinn, wenn sie mich gleich schnappten.

HETE: Ich weiß doch.
PAUL: Was guckste?
HETE: Wie lang ist's eigentlich her, daß die Polente kam?
PAUL: Zehn Tage.
5 HETE: Lange Zeit.
PAUL: Verflucht lange.
HETE: Haste auch gehungert?
PAUL: Und ob.
HETE: Und wo haste ... gepennt?
10 PAUL: Na, überall ... bei Genossen, unter 'ner Brücke ... auf den Bänken, wo man trocken liegt, durfte ich doch nicht, wo man mich sucht ... auch mal Platte geschoben und mal auf 'nem Dach.
HETE *streichelt ihn*: Siehst auch arg ruppig aus.
15 PAUL *sie betrachtend*: Na, dir hat's nicht viel geschadet; bist ja ganz schnieke ... hast wohl doch noch 'ne Stelle beim Direktor gefaßt?
HETE *sieht ihn an*: Du Kind, du ... *Plötzlich*: Hast du's noch?
20 PAUL *faßt unter seinen Rock*: Hier.
HETE *scheu*: Zeig's mal!
PAUL *sieht sich um, dreht sich dann mit der Schachtel der Rückwand zu*: Weißt du's jetzt?
HETE *zögernd*: Ja ...
25 PAUL: Ist's ... gemacht?
HETE: Nein. *Faßt ihn.* Nein, Paul! Keiner hat mir geholfen, keiner! Aber du mußt mir helfen, jetzt sind wir noch beisammen! Paul, ich kann's nicht allein, ich tu' mir was ... *Leise, heftig*: Du mußt's tun, gleich
30 hier ...
PAUL: Gleich hier?!
HETE: Hier! Hier! Da – *auf Pritsche* –, dahinter ... da kann man liegen ... jetzt ist Hochbetrieb da vorn, keiner merkt's jetzt, keiner hört's in dem Lärm, wenn ich
35 stöhne ... nein, nein, ich werd' ganz stille sein, auch wenn's weh tut, bestimmt, Paul, sicher, keinen Laut ... Paul, komm, komm doch!!
PAUL *hilflos*: Muß ich's nicht saubermachen?
HETE: Ja, ja, da ist Seife und Wasser ... die brauchste ja

sowieso ... *Sie legt sich auf die Pritsche hinter den Zeltbahnen, schaut nochmals nach dem Schalter und zieht dann die Zeltbahn ganz vor das Lager.*
Paul tritt hinter den Schirm. – Links am Schalter eifriger Zeitungsverkauf; Max reicht an, Kuckuck setzt ab. – Leiser Schrei: »Paul!« Ein Instrument klirrt zu Boden. Paul kommt verstört nach vorn. 5

PAUL *leise*: Verfluchter Dreck, wenn man's nicht versteht!

HETE *ihm nach, nach vorn*: Ich schreie bestimmt nicht mehr, Paul ... ich bin ganz still, ich schwöre dir's ... *Will ihn nach hinten ziehen.* 10

PAUL *unbeweglich*: Nee, nee, du ... Blut!

HETE: Hast du Angst?

PAUL *schweigt.* 15

HETE *plötzlich*: Oder ... du, ekelt's dich? Ekelt's dich?! *Nimmt seinen Kopf.* Du, sieh mich an, sieh mich doch an!

PAUL *steht da.*

HETE *geht zur Tür.* 20

PAUL *hält sie; müde*: Ich mach's ja.

HETE *sieht ihn an*: Armer Junge.

PAUL *heftig*: Warum?

HETE *leise*: Weil du dich ekelst, Paul ... Weil du dich vor mir ekelst. 25

PAUL *rasch*: Quatsch! Ich mach's!

HETE: Nein, Paul, nein, du sollst es nicht machen, du sollst dich nicht ekeln vor mir; dafür hab' ich dich zu lieb.

PAUL: Das ist ja zum Närrischwerden!!

HETE *nimmt seinen Kopf, streichelt ihn*: Mein Paul, Junge, es ist ja gar nicht so schlimm, sei doch ruhig! Das ist doch alles Unsinn ... das wird ja alles gut, sei doch ruhig, Paul ... geh jetzt, geh und sei heut abend Punkt zehn am Schlesischen, geh jetzt ... 30

PAUL *sieht sie an, nimmt das Instrument vom Boden.* 35

HETE *sieht das Instrument, packt es schnell*: Das laß mir! Nur, falls wir uns verfehlen ... am Abend! Geh jetzt, Paul, geh!

Sie schließt auf und schiebt ihn zur Tür hinaus, dann

schließt sie schnell wieder ab. Stille im Pritschenraum; wilder Zeitungsverkauf und Lärm links am Schalter.

HETE *hat das Instrument genommen, geht dann langsam hinter den Wandschirm.*

5 KUCKUCK *links*: Sie können alles bei mir haben, mein Herr ... Von der ›Deutschen Zeitung‹ bis zur ›Roten Fahne‹. Wir sind völlig auf der Höhe H ... *Wirft Max neue Kolli zu.* Aufpacken, lieber Blatthengst! Dalli, dalli! Von sechs bis halb sieben, das ist die große Stunde des
10 Pressemanns ... da saust der Frack, da zittert das Hemde! Tempo, Max, Tempo!

Kurzer Schrei, der von dem Lärm des Zeitungsausrufers und der Straßengeräusche fast verschlungen wird. – Hete kommt hervor; sie hält sich den Leib und setzt sich auf
15 *einen Hocker.*

MAX *von links mit Zeitungspacks; zu Hete*: Du, das ist Sache hier, was! Hochbetrieb ... na, schnür nur mal den Packen da auf, und reich mir immer so 'nen Stoß rüber ... immer nur rüberreichen den Schwung, kannste
20 doch?

HETE: Klar.

MAX: Biste müde?

HETE: Ach was.

Hete reißt das Zeitungspaket auf und reicht – wie eine
25 *Maschine – Stoß um Stoß die Blätter Max herüber. Links wilder Verkauf.*

VI

Stube von Madame Heye: Tisch, ein paar Stühle und ein kleiner Wandschrank mit Lysolflasche, Borsäurelösung, Watte und in Tücher gehüllten Instrumenten; das Ganze die Verwirklichung der kleinen zweizeiligen Annoncen: »Frauen und Mädchen finden diskrete Aufnahme ...« – Madame Heye sitzt in einem Lehnstuhl bei Wurst, Butterbrot, Rettich und einer Flasche Bier; sie mampft mit dem Genuß eines Menschen, der sich unbeobachtet weiß (spießt mit dem Messer eine Wurstscheibe auf und stößt sie sich mit großer Kunst wie ein Degenschlucker in den Rachen); dabei liest sie die Zeitung. Es klopft. 5 10

MADAME HEYE *stellt schnell das Vesper seitlich auf einen Stuhl und zieht ihren weißen Schwesternmantel an*: ‚Ja!
Von rechts kommt Hete; sie bleibt zögernd stehen. 15

MADAME HEYE *streng*: Halb acht abends! Was gibt's noch?

HETE *mit Zeitungsausschnitt*: Bin ich hier recht?

MADAME HEYE *knüllt den Ausschnitt zusammen*: Haben Sie das jemand im Haus gezeigt? 20

HETE: Nein.

MADAME HEYE: Setzen Sie sich! – Sie sind müde.

HETE: Ja.

MADAME HEYE: Sie sind noch jung?

HETE: Zwanzig. 25

MADAME HEYE: Nicht volljährig. – Reden Sie doch!

HETE: Ich komme zu Ihnen ... aber Sie wissen das ja alles, quälen Sie mich nicht! *Leise*: Sie müssen mir helfen, Sie!!

MADAME HEYE: Richtig. *Betrachtet sie.* Legen Sie Ihren Mantel ab. Etwas mitgenommen siehste aus. 30

HETE *sieht sie an*: Lassen Sie das! Ich zahle.

MADAME HEYE: Klar. – Warste schon mal beim Arzt?

HETE: Nein.

MADAME HEYE *sieht sie an*: Hast du's selbst mal probiert? 35

HETE: Nein.
MADAME HEYE: Du siehst so elend aus ...
HETE: Was sagen Sie?
MADAME HEYE: Hast du 'ne Mutter?
5 HETE *steht auf*: Ich zahle doch! Bin ich denn hier beim Doktor?!
MADAME HEYE *aufhorchend*: Wieso beim Doktor?
HETE *setzt sich, müde*: Ich meinte bloß.
MADAME HEYE *mißtrauisch*: Hat deine Mutter dir 's Geld
10 gegeben, oder hast du so 'n Kavalier unterwegs ... bleib nur, ich meine, du siehst gar nicht so aus wie 'ne Nutte ... brauchst nicht hochzugehen, das zieht hier nicht, wir sind reell und wollen wissen, wen wir bedienen! – Wie heißt er denn?
15 HETE: Kein Klauenfritze, Sie!! Nee! Wenn er auch türmen mußte wegen der Kantine ... der bekommt schon wieder Arbeit, der Paul!
MADAME HEYE: Ach so, der ... der Kantinen-Paul, ach so ... natürlich kriegt der Arbeit, aber Tütenkleben und
20 Mattenflechten; der sitzt hinterm Gitter ...
HETE: Nein!!
MADAME HEYE: Gestern haben sie ihn geschnappt; dem sind ein paar Jahre sicher.
HETE *geht nach rechts.*
25 MADAME HEYE *vor ihr*: Wohin, Kind! Keine Menkenken! So was kommt doch alle Tage vor! Nur nicht die Noble markiert! Haste denn Pinke?
HETE: Nicht viel; wir sind doch arbeitslos.
MADAME HEYE: Wieviel?
30 HETE: ... zehn Mark.
MADAME HEYE: Du bist verrückt! Streckst du dafür deinen Kopf in die Schlinge? Und damit dir gleich 'ne Latüchte aufgeht: Hier biste in solidem Haus, in prima Bedienung ... alles mit die Antisepsis und Sterilisation, verstehste,
35 von wegen dem Kindbettfieber ... *Holt aus dem Schränkchen in Tücher und Papier gewickelte Instrumente.* Und von wegen die Sepsis, die leicht den Uterus heraufschleicht, verstehste, und wenn was darin zurückbleibt, das gibt dann die Sauerei mit dem Gericht und

VI

das Purperalfieber; jawohl, mein Kind, da staunste, Madame Heye hat da studieren müssen vor zwanzig Jahren von der Gynäko-logie bis zur Diagnose, alles tipptopp ... und nun von wegen dem Zaster: Jede Arbeit ist ihres Lohnes wert! Zwanzig Mark gleich, zehn in 'ner Woche! 5

HETE: Ich habe aber nur ... *Schweigt.*

MADAME HEYE: Das habe ich gern! Den Ofen anstecken, und nachher ist kein Koks da! Zehn Mark bei die Polizeibespitzelung heute, wo doch die ganze Moral uns auf die Hacken ist! Ausgeschlossen! Servus! *Packt Instrumente wieder ein.* 10

HETE *wendet sich und geht nach rechts.*

MADAME HEYE *schnell*: Wenn man nicht so 'n gutes Herz hätte! Komm mal her, du, wie heißt du denn? 15

HETE: Hete.

MADAME HEYE *betrachtet sie*: Hete, Mensch, du bist doch 'n sauberes Stück, Mädchen ... *Betastet sie.* Die Arme, die ganze Figur ... wer wird denn da herumlaufen mit schiefen Absätzen und zerbrochener Seele! Na was denn, Hete! Nase in die Luft! Weil du's bist, Hete, ich weiß da einen Gönner ... ganz ungefährlich, so 'n sechzigjähriger Greis mit Silberhaar und rosigen Bäcklein und mit Pinke in der Busentasche, na ja schon, der hat schon vielen geholfen, die so waren wie du und die mit 'ner Empfehlung von mir kamen. 20 25

HETE: Ich verstehe Sie nicht.

MADAME HEYE: Wirste schon verstehen, wenn dir der richtige Knopf aufgeht, mein Kind! Nur Geduld, du wirst Madame Heye noch im Grabe segnen! Weil sie so 'n schwaches Herze für dich hat! – Wo haste deinen Kies? 30

HETE *holt zehn Mark aus ihrer Tasche, gibt es.*

MADAME HEYE *steckt's ein, stöhnend*: Zehn Märker? Lächerlich! Es wird immer unreeller und liederlicher auf der Welt! – Was stehst du so krumm und verbogen da, was? Hast doch keine Schmerzen, wie? Das sag man gleich! 35

HETE: Ich bin nur müde.

MADAME HEYE: Geh nebenan! *Führt sie nach links.* Da hinein, nicht so zimperlich, mach frei, leg dich hin! *Sie krempelt die Ärmel hoch, holt Instrumente und Lysoform, das sie in Wasser verdünnt.* Ich muß das hier fertig-
5 machen.

HETE *bleibt links stehen*: Glauben Sie, es geht?

MADAME HEYE: Red keine Brühe! Wo ich doch die diskretesten Manipulationen ausführe in meiner Praxis! Los, los!

10 *Hete geht links in den Raum. Madame Heye schließt die Zugangstür ab, knipst das Licht aus und folgt ihr. – Stille. – Madame Heye schnell von links; sie knipst das Licht wieder an; hinter ihr Hete.*

MADAME HEYE *erregt*: Sieh mich an, du! Dich hat schon
15 vorher jemand in Kur gehabt ... Du ... das muß ich wissen!!

HETE *sitzt gekrümmt auf einem Stuhl*: Lassen Sie mich!

MADAME HEYE: Nee, nee, du ... das lassen wir gar nicht! Du willst wohl mit gelernten Leuten Quatsch machen?
20 Deine Hand! *Nimmt sie, zählt den Puls.*

HETE: Fieber?!

MADAME HEYE: Schrei nicht so, du! Hast wohl Madame Heye mit 'ner vermasselten Sache reinlegen wollen, wie! Nee, nee! Is nich! Daran verbrenn' sich 'ne andre die
25 Finger!

HETE: Nein, nein, ich gehe nicht, Sie; ich rühre mich nicht hier weg ... ich lasse mich nicht mehr fortschicken!! Rufen Sie doch die Polizei, rufen Sie doch die ...

MADAME HEYE *hält ihr entsetzt den Mund zu.*

30 HETE *sich befreiend, umklammert sie*: Sie! Sie müssen mir helfen!! Sie wissen, was das ist ... das Fieber, das Fieber ... das verfault jetzt in mir!!

MADAME HEYE: Nerven sind das, Kind, Nerven! Still!

HETE: Nicht still, ich will nicht still sein! Ich lasse mir nicht
35 den Mund zustopfen! Das Fieber ... *Aufschreiend*: Ich will nicht sterben, du!! Ich bin noch jung, du! Ich will nicht sterben! Paul!!

MADAME HEYE: Du, man hört das!

HETE: Laß sie's doch hören!! *Plötzlich ganz ruhig, wie*

erwachend; sieht Madame Heye an: Ich lebe ja noch, wie ... aber wenn mir niemand hilft, dann gibt's doch nur eines noch ... gradeaus, immer gradeaus ... *Packt Madame Heye*: Aber ... wenn man hundert Mark hätte oder zweihundert oder dreihundert, dann brauchte man nicht gradeaus! 5

MADAME HEYE: Soviel gibt's ja gar nicht auf einen Haufen!

HETE: Dann brauchte man nicht immer gradeaus, bis zum Kanal, bis zur Eckert und ihrem Kind ... 10

MADAME HEYE *erschreckt*: Bist du verrückt! Mach mir keine Zicken, Mädchen, daß es nachher noch an mir hängenbleibt! Komm her, du! Hier hast du was ... *Geht zum Schrank, holt ein Fläschchen.* Davon nur fünf Tropfen, einmal am Tag, hörste!! *Rüttelt sie.* Fünf 15 Tropfen, nicht mehr, verstehste!!

HETE *nickt.*

MADAME HEYE *leise*: Das ist Gift, eigentlich ... aber nur 'ne ganz schwache Lösung, und in kleinen Mengen, da hilft's ... das Cyankali. 20

HETE *greift danach.*

MADAME HEYE: Nur wenn du mir versprichst, sofort zu deiner Mutter zu gehn, nirgendwo andershin! Zu deiner Mutter!

HETE *schaut sie an.* 25

MADAME HEYE: Zur Mutter, hörste!

HETE *nickt.*

MADAME HEYE *gibt ihr's*: Nur fünf Tropfen, du!

HETE: Danke. *Rechts ab.*

MADAME HEYE *schließt das Schränkchen wieder, zieht die* 30 *zehn Mark aus der Tasche, betrachtet sie, steckt sie wieder ein, streift die Ärmel wieder herunter; über sich selbst gerührt*: ... wenn man nicht so 'n gutes Herz hätte!

VII

Küche von Mutter Fent. Es ist Abend. Der Kuckuck und Frau Klee sitzen am Tisch und brocken stumpf vor sich hin Brotrinden in ihre Kaffeetassen; der Kuckuck liest dazu aus einem Zeitungsfetzen. Mutter Fent schafft am Ofen und wischt auf.

KUCKUCK *lesend, vor sich hin*: Wird noch 'ne Weltberühmtheit, der Paul, alle nasenlang steht was drin von ihm ... jetzt, wo sie ihn liquidiert und auf Nummero Sicher haben, jetzt kommt erst das ganze Register zum Vorschein; hat vor seiner Verhaftung noch 'nen Kriminal durch 'nen Kopfschuß umgelegt ...

FRAU KLEE *singt*:

Im Rüdesheimer Schloß steht eine Linde,
Der Frühlingswind zieht durch die Blätter grün,
Ein Herz ...
Oh, ihr lieben Arschwedel, wenn nur einer von euch 'n Viertel so wäre wie der Paul!

KUCKUCK *mit Blick auf Mutter Fent*: Pst!

FRAU KLEE: Ach was, irgendwo muß die Seele doch Luft haben!

KUCKUCK *beginnt, um abzulenken, zu singen*:

Der Heizer Christian Schulze, sonst ein rechtlicher Mann,
Eines Tages er zu seiner Arbeitsstelle kam:
Betriebseinschränkung! Er ward nochmals entlohnt,
Dann stand er auf der Straße ...
Bricht ab, verlegenes Schweigen.

FRAU KLEE: Übrigens fangen sie drunten wieder an zu arbeiten; halbe Schicht! Gut sortiert!

MUTTER FENT *plötzlich*: Hast du sie gesehn?

FRAU KLEE: Ich, nee; aber der Maxe sagt, sie sei wieder im Viertel.

KUCKUCK: Wo soll sie auch hin, wenn sie nicht ...

MUTTER FENT: Ins Wasser geht.

FRAU KLEE: Mecker nicht, Mutter; heut früh hat der Kuckuck sie doch noch hier am Haus gesehn.

MUTTER FENT *packt ihn*: Wo?
KUCKUCK: Die rannte, wie sie mich sah ...
Max, ziemlich elend, von links.
MAX: Die Saubande fängt wieder an zu schaffen mit 'ner halben Amnestie! 5
FRAU KLEE: Und du?
MAX: Meinste, die mit dem Paul waren, die lassen sie wieder ran? Hete stand drüben auf der Straße; aber wie ich zu ihr wollte, weg war sie!
MUTTER FENT: Die wartet grad auf dich! *Will nach links.* 10
Prosnik tritt ein; er scheint sehr guter Laune, jovial, mustert in Ruhe die vier.
PROSNIK: 'n Abend! Wieder Volksversammlung! *Auf Max*: Sogar alte Bekannte?
MAX *mit gekreuzten Händen*: Bitte abführen, Herr 15 Spitzel!
PROSNIK: Kein Interesse an Kleinvieh. – Der Genosse Paul hat seine Laufbahn ja konsequent fortgesetzt, sich zu 'nem richtigen Knallheinrich entwickelt, brummt jetzt die nächsten Jahre im Kasten. 20
MAX: Und Sie Arsch mit Ohren, Sie knistern die nächsten Tage vielleicht im Sarge! Mahlzeit! *Schnell ab.*
PROSNIK: Letzte Zuckungen! – Es gibt wieder Arbeit, Minna, was! Der Konsum macht wieder auf! Die ›Rote Fahne‹ erscheint wieder, Kuckuck! 25
KUCKUCK *vor ihm*: Darf ich mir gestatten, dem Herr Verwalter ein Exemplar gratis und franko zu überreichen? *Ab.*
FRAU KLEE: Warte, Kuckuck, ich komme mit. *Ihm nach.*
Prosnik steht unentschlossen da; Mutter Fent räumt auf. 30 *Schweigen.*
PROSNIK: Haben Sie was von ihr gehört?
MUTTER FENT: Ach was.
PROSNIK: Ist Ihnen das gleich?
MUTTER FENT: Lassen Sie mich in Frieden! 35
PROSNIK: Wir hätten sie halten sollen.
MUTTER FENT: Möcht' wissen, wie?
PROSNIK: Sie haben sie geohrfeigt. Sie sprachen von Schande. Ich wollte sie zu mir nehmen. *Langsam ab.*

Mutter Fent setzt sich erschöpft auf einen Schemel. Sie ruht so eine Weile, dann horcht sie, steht auf, geht an den Tisch, räumt ab. – Hete tritt leise von rechts ein. Mutter Fent dreht sich um, steht einen Augenblick starr, fängt dann wieder an, den Tisch abzuwischen.

HETE: 'n Abend, Mutter.

MUTTER FENT *reinigt den Tisch.*

HETE: Möcht' mich setzen.

MUTTER FENT *wischt immer noch, schiebt mit dem Fuß einen Schemel hin.*

HETE: Den ganzen Abend hab' ich draußen gewartet ...

MUTTER FENT *schweigt.*

HETE: Ich wollt' dich noch mal sehn.

MUTTER FENT *hat ihr Kaffee eingegossen und hingestellt.*

HETE *nimmt fast ungläubig die Kaffeetasse, stellt sie wieder nieder, spricht dann vor sich hin*: Die andern sind ja alle weg, nicht wahr ... da wollt' ich noch mal zu dir ...

MUTTER FENT *stellt die Tasse auf eine Untertasse.*

HETE: Weil du mir doch noch 'n Wort vielleicht sagen konntest ... ach, bin ich durstig, so heiß ist mir ... so den ganzen Tag ... *Sie trinkt gierig.* So durstig ... *Setzt die Tasse hin; dann*: Wie geht's auch den Kindern?

MUTTER FENT: Gut.

HETE: Und dir?

MUTTER FENT *ohne sie anzusehen*: Gut.

HETE *steht auf, wartet auf Mutter Fent, die arbeitet und an ihr vorübergeht, als wäre sie Luft; dann*: 'n Abend, Mutter. *Geht nach links.*

MUTTER FENT, *packt sie plötzlich, reißt sie zu sich, preßt Hetes Kopf an ihre Brust*: Nicht wieder weggehn, Hete! Nicht wieder gehn! Wo warst du? Wohin willst du, Kind? Weshalb hab' ich dich gehen lassen! Wie siehst du denn aus, Hete! Wer hat dir was getan, du!?

HETE *scheint plötzlich ganz müde.*

MUTTER FENT: Setz dich, Kind, du bist ja ganz schwach ... du hast Hunger, nicht wahr ... komm, hier ist was Brot! Nimm, iß, du mußt jetzt zu Kraft kommen, du mußt essen, Kind!

HETE: Laß, Mutter, ich muß ja alles brechen.

MUTTER FENT *hat ihre Hände gefaßt*: Wie heiß du bist, Kind; du mußt mir gleich ins Bett, das ist ja Fieber!

HETE *nickt.*

MUTTER FENT: Das kommt vom späten Draußenstehn, wenn man sich erkältet ... 'ne Grippe, 'ne richtige ... Grippe.

HETE *sieht sie an.*

MUTTER FENT *begreift plötzlich:* Daher?

HETE *leise*: Ja.

MUTTER FENT: Kind, wer hat dir was getan?

HETE *an sie geklammert*: Mutter! Mutter! Ich muß sterben, Mutter ... niemand hilft mir, Mutter ... das Fieber ist schon in meinem Bauch, Mutter!!

MUTTER FENT *hart*: Red kein Blech, Hete! *Erschrocken.* Ruhig, Hete, ganz still, du! Ich rufe den Doktor!

HETE: Bist du verrückt, Mutter!? Bleib!! Der bringt uns doch ins Zuchthaus!!

MUTTER FENT: Du hast es gemacht?

HETE *nickt.*

MUTTER FENT: Ist es fort?

HETE: Nein, Mutter, ich konnt's doch nicht allein, keiner half mir; jetzt bin ich krank, Mutter, weil ich's nicht richtig wußte ... *Außer sich*: Ich hab mir was getan, Mutter, und jetzt hab' ich das Fieber im Leib, Mutter, das Fieber, und dazu noch das tote Kind!!

MUTTER FENT *will hinaus.*

HETE: Wohin?

MUTTER FENT: Der Arzt muß her!

HETE: Der hilft nicht! Ich weiß es doch!

MUTTER FENT: Aber es muß doch einer helfen!!

HETE *umfaßt sie*: Du, Mutter ... du mußt mir helfen ... still, Mutter! Hier ... das kleine Fläschchen, das gab mir die Frau, und davon bloß fünf Tropfen, siehst du ... *Holt es hervor.* So 'n Fläschchen, siehst du!

MUTTER FENT: Das soll's schaffen?

HETE *leise*: Cyankali.

MUTTER FENT: Das klingt ja wie Gift?

HETE: Wenn man zuviel davon nimmt. Aber fünf Tropfen bloß, das macht dann nur Krämpfe; dann kommt's ...

und dann ist's vorüber, die Angst, Mutter, die schreckliche Angst, das muß doch mal vorüber sein ... wo's vielleicht schon tot ist! *Packt sie.* Mutter! *Nimmt den Pfropfen ab.* Du gibst mir's, Mutter, du schickst mich nicht fort, Mutter, du bleibst bei mir, wenn's mir Krämpfe macht ...

MUTTER FENT: Aber wenn es *Gift* ist?!

HETE *verzweifelt*: Es hilft, es hilft, Mutter!!

MUTTER FENT: Still, Kind; du hast Fieber, Kind! Sei einmal still, hör einmal her, du ... deine Mutter will dir helfen, hilft dir, laß sie erst zu Atem kommen ... du bist doch mein Kind! *Zieht einen Schemel heran, setzt sich.* Du willst jetzt, daß deine Mutter dir zu trinken gibt, das willst du jetzt?

HETE *nickt.*

MUTTER FENT: Und wenn du Schmerzen hast, so willst du, daß deine Mutter dann bei dir bleibt?

HETE *nickt.*

MUTTER FENT *ist aufgestanden und hat ein Glas mit Wasser gefüllt*: Und da soll das jetzt hinein? Und dann wirst du's trinken und ganz ruhig sein, Hete, ganz ruhig. – Wieviel, Hete?

HETE *gibt einige Tropfen hinein, zögert*: Daß es auch ja hilft! *Gibt noch mehrere Tropfen hinzu.*

Beide sitzen dicht nebeneinander auf ihren zwei Schemeln, ganz vorne. Mutter Fent hält das Glas. Hete schaut in großer Angst vor sich hin.

MUTTER FENT *hat Hetes Kopf an ihre Schulter gezogen*: Ruhig, Kind, ruhig ... das sind ja nur 'n paar Schlücke, siehste ... still, ich bleib' ja bei dir, Kind; leg deinen Kopf an meine Schulter, ganz ruhig, so ... so war's schon mal, als du ganz klein warst, Hete ...

HETE *plötzlich in Heiterkeit*: Du, Mutter, als ich noch klein war, da gabst du uns mal zwei Pulver für 'ne Brauselimonade, für fünf Pfennige, weißt du, ein weißes und rosanes, die mußte man in ein Glas tun, zuerst das weiße ... und dann Wasser darauf, und dann das rosane ... das ging dann hoch wie Selters ...

MUTTER FENT: Na siehste, das ist doch alles nicht so

schlimm, nicht wahr? *Nimmt sie ganz an ihre Schulter wie ein Kind.* Komm! *Gibt ihr zu trinken.*
HETE *plötzlich in großer Angst über das Glas weg*: Ob's mich nicht doch kaputtmacht, Mutter?!
MUTTER FENT *drückt Hetes Kopf fest an sich.* 5

VIII

Küche von Mutter Fent. Mitten in der Küche steht die Chaiselongue, als Bett hergerichtet, in dem Hete liegt. Sie ist sehr blaß, sitzt halb auf und blickt auf einen Fleck. Mutter Fent kommt mit einer Tasse Milch. – Heller Tag. 10

MUTTER FENT: Du mußt was trinken, Kind ... hörst du?
HETE *sitzt reglos da.*
MUTTER FENT: Hete, Kind, ist's hier nicht besser als in der Kammer?
HETE: Mein Leib, Mutter! 15
MUTTER FENT: Die Nachwehen, ja ... die Krämpfe; aber jetzt ist's doch weg.
HETE: Kommt der Doktor wieder?
MUTTER FENT: Ja! Er sagt, du hast zuviel Blut verloren.
HETE: Was sagt er noch? 20
MUTTER FENT: Nichts, Kind, nichts! Was soll er denn sonst gesagt haben? Soviel Mensch wird er doch sein!
Frau Klee von links.
HETE: Die Angst ist weg ... die furchtbare Angst.
FRAU KLEE: Na siehste! *Zieht Mutter Fent beiseite.* Du! 25 Man munkelt, es sei heraus; der Arzt hab' es melden müssen!
MUTTER FENT: Nein!!
HETE: Was redet ihr da? Die Angst ist weg, die große Angst ... das ist doch die Hauptsache, nicht wahr ... 30 aber müde bin ich und kalt, ganz kalt. *Legt sich auf die Seite.*

MUTTER FENT: Ja, leg dich aufs Ohr, Kind, und schlaf mal rum! *Deckt sie bis obenhin zu.*

FRAU KLEE: Die klappert ja mit den Zähnen? *Plötzlich*: Du! Mutter! Du mußt wissen, was du nachher sagst, wenn die kommen! Man hat Blutspuren gesehn von hier bis unten zum Abtritt und auch im Mülleimer ...

MUTTER FENT: Wer hat das verpfiffen?!

FRAU KLEE: Sie quasseln schon alle im Hause drüber.

Der Kuckuck schnell von links.

KUCKUCK *leise*: Dicke Luft, Herrschaften! Es wird untersucht! Die ganze Straße ist's rum; der Doktor hat ooch schon gequatscht ... *Horcht.* Also ich sage, Apfelsinen und Zitronensaft ist garantiert das Beste gegen das Fieber ...

Prosnik erregt hinein.

PROSNIK: Sauerei! In meinem Hause!!

FRAU KLEE: Sie müssen grad reden, Sie!

PROSNIK: Mich schmeißt der Herr Kommerzienrat auf die Straße, und Sie fliegen ins Zuchthaus! Da können Sie Ihrer Freundin ja Gesellschaft leisten! *Schnell ab.*

FRAU KLEE *ihm nachrufend*: Dann aber nicht alleene! – Kuckuck, ihm nach, daß der 's Gericht nicht beschmust, wenn sie gleich kommen!

KUCKUCK *verdattert*: Warum ich?

FRAU KLEE: Weil du 'n Mann bist, Mensch, und 'n »Charakterkopf«! *Packt ihn.* Und überhaupt, Mensch, du sollst hinstehen! Steh doch mal senkrecht da, drück mal die Knie durch, und der Polente fest in die Pupille geguckt! *Draußen Schritte.*

Kuckuck wird merklich kleiner und will abhaun.

KUCKUCK: Soll ich jetzt runter?

FRAU KLEE *hält ihn*: Nu bleib schon.

Von links treten ein: der Kriminalkommissar, ein vierzigjähriger, quadratischer Mann, mit ihm Dr. Moeller und Prosnik, dann ein Kriminalwachtmeister mit Mappe.

KRIMINALKOMMISSAR: Bitte ... Witwe Emmi Fent!

MUTTER FENT *tritt vor.*

KRIMINALKOMMISSAR: Frau Fent! Es sind im Laufe des gestrigen Tages Gerüchte zu uns gedrungen, die sich zu

einer Anzeige verdichtet haben: Es soll in Ihrer Wohnung ein Verbrechen wider den § 218, ein Verbrechen wider das keimende Leben, begangen worden sein. Ich habe als Kriminalkommissar den Tatbestand zu klären. Da Ihre Tochter nicht transportfähig ist und Verdunke- 5
lungsgefahr vorliegt, muß ich hier zur Vernehmung schreiten. *Gegen die anderen*: Wohl Hausbewohner? *Zum Kriminalbeamten*: Draußen warten!

Kriminalwachtmeister übergibt dem Kommissar die Mappe; dann mit Frau Klee und Kuckuck ab. Prosnik 10
redet leise auf den Kriminalkommissar ein.

KRIMINALKOMMISSAR *zu Prosnik*: Schon vorgesehen! Wird in zehn Minuten hiersein! Bitte, sich ebenfalls draußen bis zum Aufruf bereit zu halten! *Während Prosnik abgeht, aus der Akte zu Mutter Fent*: Frau Fent! Sie 15
haben eine Tochter Hedwig?

MUTTER FENT: Ja.

KRIMINALKOMMISSAR: Ihre Tochter ist krank?

MUTTER FENT: Ja.

KRIMINALKOMMISSAR: Wie lange ist Ihre Tochter bei Ihnen? 20

MUTTER FENT: Seit drei Tagen.

KRIMINALKOMMISSAR: Wo war sie vorher?

MUTTER FENT: Das weiß ich nicht.

KRIMINALKOMMISSAR *zu Hete*: Fräulein Fent! Können Sie meinen Fragen folgen? 25

HETE *nickt.*

KRIMINALKOMMISSAR: Wo waren Sie vor acht Tagen?

HETE *schweigt.*

KRIMINALKOMMISSAR *zum Arzt*: Herr Doktor! Die Kranke ist doch in der Lage, meine Fragestellung zu erfassen? 30

DR. MOELLER *fühlt den Puls, prüft die Pupillarreflexe*: Bitte, folgen Sie mir mit den Augen, sehen Sie nach der Nasenspitze. Verstehen Sie, was ich jetzt frage? Wieviel ist drei mal neun?

HETE: Reden Sie nicht solches Blech! 35

DR. MOELLER *zum Kriminalkommissar*: Die Kranke ist verhandlungsfähig.

KRIMINALKOMMISSAR: Fräulein Fent, Sie hatten Umgang mit einem gewissen Paul Krüger?

HETE *schweigt*.
KRIMINALKOMMISSAR: Wann sahen Sie ihn das letzte Mal?
HETE *schweigt*.
KRIMINALKOMMISSAR: Sie wollen nicht antworten? – Herr
5 Doktor! Welche Zeit muß verstrichen sein zwischen einem verbotenen Eingriff und der Infektion bis zum Ausbruch des Kindbettfiebers?
DR. MOELLER: Etwa eine Woche.
KRIMINALKOMMISSAR: Also müßte vor zehn Tagen der
10 Eingriff gemacht worden sein?
DR. MOELLER: Jawohl.
KRIMINALKOMMISSAR: Und gestern erst der Erfolg?
DR. MOELLER: Vermutlich ein zweiter Eingriff.
KRIMINALKOMMISSAR *im Jagdeifer*: Komplizen! – Frau
15 Fent! Nach der Untersuchung des Arztes handelt es sich bei Ihrer Tochter um den unsachgemäßen Versuch der Fruchtabtreibung mit allen Folgen bis zum Eintritt des Kindbettfiebers. Der erste Eingriff muß vor etwa zehn Tagen geschehen sein, der zweite vor drei Tagen. Der
20 erste Täter ist uns bekannt. Der zweite *eigentliche* Täter muß ermittelt werden. Frau Fent, Sie genießen einen ausgezeichneten Leumund. Sie werden uns Ihre Mithilfe nicht versagen. Wir müssen die Person auffinden, die ein so schweres Verbrechen begangen, die Ihre Tochter auf
25 den Tod geschädigt hat. Wer hat vor drei Tagen den zweiten Eingriff bei Ihrer Tochter vorgenommen?
MUTTER FENT: Ich ... weiß es nicht.
KRIMINALKOMMISSAR *nach links*: Den Hausverwalter!
Prosnik tritt ein.
30 KRIMINALKOMMISSAR: Herr Hausverwalter Prosnik! Die Blutspuren wurden erst gestern früh in Ihrem Haus beobachtet?
PROSNIK *zögernd*: Ja.
KRIMINALKOMMISSAR: Frau Fent! In Ihrer Wohnung ist
35 der zweite Eingriff vorgenommen worden! Sie sind eine ordentliche Frau! Wer war der Täter? Von wem war die Spritze?
MUTTER FENT *nach kurzem Zögern*: Das fragen Sie da den Herrn Verwalter und die andern!

KRIMINALKOMMISSAR *nach rückwärts*: Die Hausbewohner!
Der Kriminalwachtmeister läßt Frau Klee und den Kuckuck herein.

KRIMINALKOMMISSAR: Ihr wißt, wer das Instrument geliefert! Wir haben es eben erfahren! *Zu Kuckuck*: Heraus damit! 5

KUCKUCK *sehr erschrocken*: Ich das Instrument?! Ich?! Herr Kommissar, der Kuckuck – das bin ich –, der hat nie 'ne Spritze gehabt und die andern Blattläuse auch nicht ... 10

KRIMINALKOMMISSAR: Blattläuse?

KUCKUCK: Verzeihen Sie, das ist so 'n Patentausdruck; aber der ... der Herr Verwalter, der kann vielleicht Auskunft geben.

PROSNIK: Sie sind alle toll, die Leute, Herr Kommissar! 15

FRAU KLEE *heftig*: Er soll sagen, ob er die Spritze hatte oder nicht?!

PROSNIK *erregt*: Der Paul, der hat sie mir doch geklaut!!

KRIMINALKOMMISSAR: Das sind ja tolle Zustände! – Herr Verwalter! Sie geben also zu, eine solche Spritze gehabt 20 zu haben! Zu welchem Zweck?

PROSNIK *bricht gänzlich zusammen*: Herr Kommissar, ich habe alles nur für alle Fälle dagehabt, nie ein Unrecht getan, alles nur nach bestem Wissen und Gewissen ... ich bin doch kein Verbrecher, Herr Kommissar. 25

KRIMINALKOMMISSAR: So seid ihr!! Erst große Reden geschwungen, und nachher will es keiner gewesen sein!
Kriminalwachtmeister von links.

KRIMINALWACHTMEISTER: Der Gefangene ist da! 30

KRIMINALKOMMISSAR: Vorführen!
Paul wird hereingeführt. Er sieht elend aus, trägt Sträflingskleidung und Handschellen; er stutzt, stürzt dann auf Hete zu.

PAUL: Hete!! 35

KRIMINALKOMMISSAR: Krüger! Krüger! Sie sind zum Verhör geladen! Nehmen Sie sich zusammen! – Sie kennen die Hedwig Fent und den Hausverwalter?

PAUL: Allerdings.

KRIMINALKOMMISSAR: Geben Sie zu, den Eingriff bei der Fent gemacht zu haben?

PAUL: Das geht niemand was an.

DR. MOELLER: Aber daß das Mädchen jetzt im Kindbettfie-
5 ber daliegt, auf Leben und Tod, das rührt Sie wohl nicht?

PAUL *vor ihm*: Das sagen *Sie*? Weshalb haben *Sie* es denn nicht gemacht, als das Mädchen zu Ihnen kam, Sie ... Arzt?!

10 KRIMINALKOMMISSAR: Fordern Sie von dem Arzt ein Verbrechen?

PAUL: Hilfe, Herr Kommissar!! Herr Kommissar, fragen Sie den Arzt, ob er noch nie einer Frau Generaldirektor oder auch der Frau Käsewarenhändler geholfen hat,
15 wenn sie ihm dafür ...

DR. MOELLER *auf ihn zu*: Lümmel!!

KRIMINALKOMMISSAR: Strafgefangener Krüger, Sie haben nur auf Fragen zu antworten! – Waren Sie vor zehn Tagen mit dem Mädchen zusammen?

20 PAUL *schweigt.*

KRIMINALKOMMISSAR: Hat der Hausverwalter Ihnen die Spritze gegeben?

PAUL: Laßt den miesen Hund doch laufen! Der ist doch genauso 'n verprügelter Köter wie wir alle! *Zum Bett*:
25 Bist du denn wirklich so krank, Hete?

KRIMINALKOMMISSAR: Das genügt mir. *Zum Arzt*: Aber ungeklärt ist der etwaige Eingriff vor drei Tagen. *Spricht leise mit dem Arzt.*

HETE *leise zu Paul, streicht über die Fesseln*: Tut das weh,
30 du?

PAUL: Ach was.

HETE: Wie lange mußte denn brummen?

PAUL: Na, so 'n bißchen. Du, Hete, wenn ich dann aber rauskomme ...

35 KRIMINALKOMMISSAR: Krüger, antworten Sie jetzt dem Herrn Doktor!

DR. MOELLER: Wie haben Sie das Instrument gebraucht?

PAUL *schweigt.*

DR. MOELLER: Von wem hatten Sie die Spritze?

PAUL: Nicht von Ihnen!

DR. MOELLER: Mein Junge, die Schnauze wird Ihnen bald trocken werden! Wenn ihr wirklich im Recht wäret, und wir paar andern wären im Unrechte, bitte, euer demokratischer Staat gibt ja den Millionen die Möglichkeit, 5 ihre Stimmen zu erheben und den Paragraphen wegzufegen mit einer *Volksabstimmung*!! Aber wo sind die Millionen? Wo ist das Volk?!

PAUL: Richtig! Sie dürfen uns noch verhöhnen! Noch tut keiner 'n Mucks! Alle schlafen sie noch; sehen Sie 10 doch nur, wie sie dastehn ... die Mutter, die Minna, der Verwalter, der Kuckuck ... wie 'n Haufen Unglück ...

KRIMINALKOMMISSAR: Schweigen Sie!!

PAUL: Ja ... die schweigen noch, und vielleicht müssen 15 noch 'n paar Jahre lang Tausende Frauen am Fieber verrecken ...

DR. MOELLER: Wie wollen Sie das ändern?

PAUL *vor ihm*: Geburtenregelung.

DR. MOELLER: Geburtenregelung! Und die unerwünschten 20 Kinder werden, wie in Rußland, von Ärzten in Kliniken beseitigt!!

PAUL: Jawoll!! In Kliniken!! Aber nicht heimlich!!

KRIMINALKOMMISSAR: Das ist der Geist, der in jedem Jahr achthunderttausend deutsche Mütter gegen das Gesetz 25 sich vergehen läßt!!

PAUL *empört*: Ein Gesetz, das in jedem Jahr achthunderttausend Mütter zu Verbrechern macht, das Gesetz ist kein Gesetz mehr!!

KRIMINALKOMMISSAR *zu Kriminalwachtmeister*: Abführen!! 30

PAUL: Wird dadurch etwas anders, Herr Kommissar?! Wird dadurch etwas anders?! *Wird vom Kriminalwachtmeister abgeführt.*

DR. MOELLER: Moskau in Reinkultur!

KRIMINALKOMMISSAR *erregt zu den andern*: Draußen war- 35 ten! Die Beamten werden Ihre Personalien aufnehmen! *Zu Mutter Fent*: Sie bleiben!

Prosnik, Kuckuck und Frau Klee ab.

HETE *wirft sich hoch*: Paul!

MUTTER FENT: Ich bin bei dir, Kind! Laß man!

HETE: Mutter ...

KRIMINALKOMMISSAR: Frau Fent, wir können auf das Verhör nicht verzichten. Wenn Sie klar und präzise antworten, sind wir gleich zu Ende. Frau Fent! Was haben Sie mir über den Verwalter noch zu sagen?

MUTTER FENT *schweigt.*

KRIMINALKOMMISSAR: Völlig falsche Rücksichten!

DR. MOELLER: Oder Angst! Die kalte Angst liegt ja auf all diesen Menschen; ich sehe das doch hundertmal in meiner Praxis; man spürt das Verbrecherische der Tat!

MUTTER FENT: Das Verbrecherische?! *Außer sich*: Wenn mein Kind zu mir kommt ... in Todesangst?!

DR. MOELLER: Dann fühlen Sie sich berechtigt ...

MUTTER FENT: Dann tue ich, was ich fühle!!

DR. MOELLER: Alles?

MUTTER FENT: Alles!!

DR. MOELLER: Auch bei Ihrem Kinde!!

MUTTER FENT: Gerade bei ihm!!

KRIMINALKOMMISSAR: Sie tun ja gerade, als hätten Sie's selbst ...

MUTTER FENT *vor ihm*: Jawoll, ich hab's getan!! Immer wieder würde ich's tun!! Und alle sollten's tun, ehe wir alle dran verrecken!!

KRIMINALKOMMISSAR *erregt*: Ich erkläre Sie für verhaftet!!

MUTTER FENT: Verhaftet?? Ins Gefängnis?! Ich gehe nicht von meinem Kind!

DR. MOELLER *leise zum Kriminalkommissar*: Lassen Sie die Frau noch ein paar Stunden hier; es sind die letzten für das Mädchen!

KRIMINALKOMMISSAR: Verdunklungsgefahr! Ich vermute noch Komplizen! *An der Tür*: Frau Fent! Ich muß Sie bitten, sich bereit zu halten! Für Ihr Kind ist Pflege bestellt.

Kriminalkommissar, Dr. Moeller und Kriminalwachtmeister ab. – Mutter Fent ist an Hetes Bett getreten, streicht ihr über Schulter und Arme. – Hete liegt erschöpft da.

MUTTER FENT: Sie nehmen mich ja nur mit zum Protokoll, Kind ... morgen bin ich wieder da, sie können mich ja nicht dortbehalten, wo du so krank bist und mich brauchst ...

Der Kriminalwachtmeister ist eingetreten, er bleibt an der Tür stehen. 5

KRIMINALWACHTMEISTER: Sie müssen mir folgen, Frau Fent!

Mutter Fent richtet sich mühsam auf und folgt schwer und müde dem Kriminalwachtmeister. – Stille. – Hete, die den letzten Worten nur mühsam gefolgt ist, beginnt unter dem Druck der Stille sich zu rühren; sie richtet sich etwas auf. 10

HETE: Zehntausend ... müssen ... sterben. *In Todesangst:* Hilft uns ... denn niemand ... *Sinkt nieder.* 15

MATERIALIEN

Inhaltsverzeichnis

»Immer schlossen wir mit dem Satz Semaschkos: ›Wir wollen, daß alles Geborene zu etwas Gewolltem werde, daß alle Kinder mit Liebe erwartet werden! Sie seien willkommene Gäste am Tisch des Lebens!‹«

F. Wolf: Wie ich zur revolutionären Arbeiterschaft kam (1931)

Einleitung

1929 war Friedrich Wolf bereits populär als Verfasser mehrerer erfolgreicher Bühnenstücke sowie eines volksmedizinischen Hausbuches (›Die Natur als Arzt und Helfer‹). Das soziale Engagement des praktizierenden Naturarztes 5
hatte ihn ein Jahr zuvor zum Entschluß gebracht, der Kommunistischen Partei beizutreten.
Im Frühjahr 1929 zog sich Wolf von seiner Stuttgarter Praxis zurück, um in Eltville am Rhein das Zeitstück zu schreiben, das bis heute am engsten mit seinem Namen 10
verbunden ist: ›Cyankali‹.
Wolf zeigt, wie hart der § 218 sich bei den Verdienstlosen und Proletariern auswirkt, welche Not die Schwangerschaft unter schlechten sozialen Bedingungen bedeutet.
Der Schlußfassung vorangegangen waren Vorentwürfe 15
(›Fabriklegende‹, ›Alltagslegende‹), bei denen die Problematik der strafrechtlichen Verfolgung nach dem § 218 noch nicht im Vordergrund stand.
Die drohende strafrechtliche Verfolgung der jährlich fünf- bis achthunderttausend Abtreibungen in Deutschland 20
wurde zu dieser Zeit in der Öffentlichkeit verstärkt diskutiert und in Frage gestellt. Zwei bekannte Bühnenstücke zum § 218 lagen bereits vor: Hans-José Rehfischs ›Der Frauenarzt‹ sowie Carl Credés ›§ 218 – Gequälte Menschen‹. Wolfs Verleger Mörike warnte ihn vor der Abfas- 25

sung eines § 218-Stücks. Denn sie würden »schon wie sauer Bier angeboten« (Briefwechsel, S. 173).
Im Vertrauen auf sein Gespür für aktuelle Themen und deren Verarbeitung ließ Wolf sich den Plan nicht ausreden. Die Uraufführung fand am 6. September 1929 im Berliner Lessingtheater statt. Wolf selbst hatte mit der ›Gruppe Junger Schauspieler‹ die Inszenierung vorbereitet. Die ›Gruppe Junger Schauspieler‹ war ein Kollektiv von Mitgliedern verschiedener Berliner Theater, vor allem der Piscator-Bühne. Sie hatte sich ein Programm gegeben, das Wolfs Vorstellungen vom kämpferischen Gegenwartstheater sehr nahe kam. Diese Vorstellungen hatte Wolf am deutlichsten 1928 in der Broschüre ›Kunst ist Waffe‹ formuliert und in zahlreichen Vorträgen und Aufsätzen wiederholt. Sie kommen auch zum Ausdruck in dem unbekannt gebliebenen Text ›Vorspruch für ein Zeittheater‹.

Die Wirkung von ›Cyankali‹ ist verbürgt: Erregter Beifall, zustimmende Zwischenrufe und großer Besucherandrang wird von vielen Rezensenten vermerkt. Innerhalb von zwei Monaten fanden allein in Berlin etwa 100 Aufführungen statt. Andererseits führten der Stoff des Stücks und der Ruf des Autors zu Protesten, die nicht selten zu Skandalen eskalierten.
Beim Publikum rief das Stück überwiegend Begeisterung hervor. Die bürgerliche Kritik lobte zumeist Wolfs gute Absicht und tadelte die künstlerischen Mittel. So meinte z. B. Herbert Ihering: ›Cyankali‹ sei zwar keine Dichtung, doch seine primitiven Mittel seien angesichts des verhandelten Problems durchaus am Platz.
Die sozialistische Presse feierte ›Cyankali‹ als ersten Höhepunkt der jungen proletarisch-revolutionären Dramatik in Deutschland. Die ›Rote Fahne‹, Organ der KPD, schätzte das Stück als »dramatisch gesteigertes Leben« und lobte besonders den naturalistischen Aufführungsstil der ›Gruppe‹: »Hier ist das Leben so nah, so echt, so ungestüm, daß man zuweilen meint: man ist in der Küche der Mutter Fent, im Zeitungskiosk von Kuckuck, im Sprech-

zimmer des Arztes Dr. Schwertfeger.« (Durus, Rote Fahne, 8. 9. 1929.)

Anläßlich der Stuttgarter Aufführung kritisierte die gleichfalls kommunistische ›Süddeutsche Arbeiter-Zeitung‹ Wolfs Drama als »Reflex kleinbürgerlicher Weltanschauung«.

Erich Kästner entscheidet in seiner Rezension die Frage, inwiefern das Zeitstück die Welt wirklich verändern könne, etwas voreilig zugunsten der Kunst. Ludwig Marcuse legt den Schwerpunkt seiner Kritik der Frankfurter Aufführung auf den Punkt, den Brecht zum Zentrum seiner Theorie des epischen Theaters macht: Inwieweit verhindern die Rührung und das Mitleid beim Zuschauer gerade dessen Änderung und Aktivierung? Wolfs Technik der Darbietung neuer sozialer und sozialistischer Stoffe in der alten Form des aristotelischen Dramas machte Brecht und Wolf zu Gegenspielern. Brecht lobt ›Cyankali‹ vorsichtig als »gutes Tendenzstück«. Da es gleich impulsive Anteilnahme fordere, sei seine Wirkung jedoch begrenzt und kurzfristig, auch nur in bestimmten gesellschaftlichen Situationen möglich. Obschon Brecht den Dialog mit Wolf ausgleichend beendet, beharrt er doch darauf, daß die Negation der Negation im Kopf des Zuschauers stattzufinden habe und daß das dargestellte Übel nicht auf der Bühne, sondern im gesellschaftlichen Leben des Zuschauers zu beheben sei.

Im Frühjahr 1930 wurde ›Cyankali‹ verfilmt. Wolfs Einfluß auf das Drehbuch war gering, er wollte jedoch sicherstellen, »daß der Film keinesfalls Limonade wird« (Briefwechsel, S. 179). »Aus dem Realismus des Alltags muß ohne weiteres das schwere Los der proletarischen Frau überzeugend klar werden, ohne jede Symbolik« (Briefe, S. 119). Den fertigen Film schätzte Wolf wenig; er war ihm zu »kitschig« (Briefwechsel, S. 130). Der Film wurde mehrfach verboten, insgesamt viermal der Filmprüfstelle vorgelegt und nach vollzogenen Schnittauflagen immer wieder zugelassen. Die zum Teil grotesken Vorgänge um die Zulassung zeugen von den Schwierigkeiten, Filme mit gesellschaftskritischer Thematik in der Weimarer Republik vorzuführen. Als Beispiel kann der positiv beschiedene Antrag des Bayerischen Staatsministerium des Innern vom 7. August 1930 auf Widerruf der Zulassung dienen, dem sich das Badische und Württembergische Staatsministerium angeschlossen hatte. Am 12. Dezember 1930 hatte die Filmoberprüfstelle schließlich die letzten Anträge zurückgewiesen.

Wie bekannt Wolf durch Stück und Film geworden war, belegt ein Vorfall, den Wolf selbst (1948/49) mitteilt: »Da ›Cyankali‹ von New York bis Tokio fast in allen Hauptstädten gespielt und von der FOX-Film gedreht wurde, erhielt ich eine große Anzahl Zuschriften aus vielen Ländern. Eine freute mich besonders. Es war eine Karte aus Finnland. Die Adresse lautete:
›Cyankali – An den deutschen Dichter, der die arme deutsche Frauen hilft.‹
Diese Karte ging an die Fahndungsstelle der Reichspost Berlin. Und der Beamte dieser Dienststelle schrieb offenbar ohne Zögern darunter: Dr. Friedrich Wolf, Stuttgart. Das war die kürzeste und beste Kritik, die ich in meiner dreißigjährigen Bühnenarbeit erhielt.«[1]
Mitte Februar 1931 wurde Wolf gewarnt, daß ihm ein Haftbefehl »wegen Verbrechens gegen den § 218« drohe. Wenig später erfolgte die Verhaftung. Gleichzeitig mit Wolf wurde Dr. Else Kienle verhaftet, in deren Klinik er Patientinnen zur Schwangerschaftsunterbrechung überwiesen hatte. Beide befürworteten eine Schwangerschaftsunterbrechung nur dann, wenn sie aus sozialen und medizinischen Gründen angezeigt war (die sog. gemischte »sozialmedizinische Indikation«). Die Begründung des Haftbefehls vom 19. 2. 1931 aber lautete: »Verbrechen der gewerbsmäßigen gemeinschaftlichen Abtreibung i. S. der §§ 218 Abs. 2 und 4,47 StGBs«.
Gleich nach Wolfs und Else Kienles Verhaftung hatte die

(1) F. Wolf: Meine kürzeste Kritik! In: Gesammelte Werke, Bd. 16, Aufbau-Verlag, Berlin und Weimar 1968, S. 214.

KPD, vor allem über ihre ›Süddeutsche Arbeiter-Zeitung‹, Kampagnen zur Freilassung wie zur Abschaffung des § 218 organisiert. Am 26. 2. 1931 fanden in Stuttgart drei Protestveranstaltungen statt, aufmerksam registriert vom polizeilichen Überwachungsapparat. 5
Am 28. 2. 1931 wurde Wolf aus der Haft wieder entlassen, es gab keine Gründe, die Inhaftierung zu rechtfertigen. Das Verfahren allerdings war damit noch nicht abgeschlossen – mit einem Prozeß war zu rechnen. Else Kienle wurde wegen ›Verdunklungsgefahr‹ noch in Haft gehalten. Am 10 20. März trat sie aus Protest gegen ihre Behandlung in den Hungerstreik und erkämpfte sich am 28. 3., total entkräftet, die Haftunterbrechung.
In Berlin hatte sich unmittelbar nach der Verhaftung ein ›Kampfausschuß‹ gegen den § 218‹ und zur Freilassung der 15 Inhaftierten gebildet. 800 Zweigkomittees entstanden in Kürze, über 1500 Massenveranstaltungen wurden vom ›Kampfausschuß‹ organisiert, zum Teil mit prominenter Besetzung, so mit Bertolt Brecht am 28. 2. 1931.
Für den ›Kampfausschuß‹ verfaßte Wolf eine Broschüre, 20 in welcher er detailliert das Verfahren schildert und einschätzt: ›Sturm gegen den § 218‹ (›Unser Stuttgarter Prozeß‹); ›Die Voruntersuchung‹ (Berlin 1931). Für Carl von Ossietzkys ›Weltbühne‹, die bedeutendste kulturpolitische Zeitschrift der Weimarer Republik, schrieb er ›Die 25 Machtprobe‹, eine knappe Zusammenfassung der Vorgänge.
Wolf und Else Kienle sprachen auf zahllosen, vom ›Kampfausschuß‹ organisierten Veranstaltungen, deren größte am 15. April 1931 im Berliner Sportpalast stattfand. Wolf hielt 30 eine Rede mit dem Titel ›Stuttgart ist Deutschland‹. Sergej Tretjakow, Wolfs russischer Schriftstellerfreund, beschreibt die Atmosphäre.
Der ›Fall Wolf-Kienle‹ wurde in der regionalen wie überregionalen Presse breit erörtert: von der ›Süddeutschen 35 Arbeiter-Zeitung‹ der KPD bis zum ›Völkischen Beobachter‹ der Nationalsozialisten. Auch die ›Vossische Zeitung‹ hatte ihren Korrespondenten nach Stuttgart geschickt.
Im Januar 1933 wurde das Verfahren eingestellt, der ›NS-

Kurier‹ gab einen höhnisch drohenden Kommentar; zwei Monate später war Wolf Exilant. Seine Bücher flogen in die Scheiterhaufen.
»Wolf ist den Faschisten dreifach verhaßt: Er ist Kommu-
5 nist, er ist Jude, und er ist ein revolutionärer Schriftsteller.«[2]
Die Nationalsozialisten drückten dann Friedrich Wolf, den sie bereits in die Emigration getrieben hatten, den Stempel »Mörder unserer Ungeborenen« auf.

---

(2) Sergej Tretjakow: Menschen eines Scheiterhaufens. Moskau 1936. In: ders.: Lyrik, Dramatik, Prosa. Reclams Universal-Bibliothek, Bd. 70. Reclam, Leipzig 1972, S. 397.

I. Das Drama

Renée Stobrawa und Gerhard Bienert. Szenenfoto aus der Uraufführung von ›Cyankali‹ am 6. 9. 1929 im Lessingtheater in Berlin. Umschlag der Erstausgabe im Internationalen Arbeiter-Verlag, Berlin/Wien/Zürich 1929.

1. Erich Kästner: [Das Zeitstück verändert die Wirklichkeit]

(1929)

Der größte Theatererfolg der vorigen Saison war Lampels ›Revolte im Erziehungsheim‹. Der größte Erfolg der gegenwärtigen Spielzeit ist Friedrich Wolfs ›Cyankali. § 218‹. Das Stück von der Fürsorge-Erziehung schrieb ein ehemaliger Fürsorge-Lehrer; das Stück gegen den Abtreibungsparagraphen schrieb ein Krankenkassenarzt. Daß Lampel und Wolf Schriftsteller sind, ist im Hinblick auf ihre erfolgreichen Tendenzstücke unwichtig. Denn sie schrieben ›Revolte‹ und ›Cyankali‹ nicht als Schriftsteller, sondern als sozial fühlende Fachleute. Beide Dramen sind kunstlose Arbeiten. Ihre Wirkung hat mit Ästhetik nichts zu tun. Durchschlagend machte sie einzig die Echtheit des sozialen Gefühls und der stofflichen Darstellung. Lampel und Wolf lieferten, aus Erfahrung und Anteilnahme heraus, exemplarische Tendenzstücke. Die ›Revolte‹ hatte eine staatliche Prüfung der Fürsorgeanstalten zur Folge und die Diskussionen im Parlament. ›Cyankali‹ wird bestimmt eine stärkere Erörterung des Abtreibungsparagraphen und seiner Grausamkeit nach sich ziehen.

Das Theater vermag es also, die Gesetzgebung und die innere Politik zu beeinflussen! Es gibt also Beispiele, daß die Literatur ins Leben und seine staatliche Organisation bessernd eingreift. Der Schriftsteller ist nicht ausschließlich dazu verurteilt, Unterhaltung zu liefern oder nicht ernst genommen zu werden. Diese Erkenntnis ist geeignet, die mutlos gewordenen Literaten zu ermutigen und tief zu erschüttern. Ihre Tätigkeit kann also doch wieder Sinn bekommen? Ihr Beruf kann also doch wieder nützlich werden? Sie sind also doch etwas mehr als bloße Gesinnungsrezitatoren, die, im Ernstfalle, keiner beachtet?

Am Schluß der ›Cyankali‹-Aufführung, die ich besuchte, schrie eine Stimme vom Balkon: »Nieder mit dem Paragraphen 218!« Und ein tumultuarischer Chor von Mädchen und Männerstimmen rief: »Nieder mit ihm! Nieder! Nieder!« Und die Zeitungen greifen das Thema wieder auf.

Und die Ärzte werden antworten. Und die juristische Reichstagskommission wird Arbeit bekommen und erneut Stellung nehmen müssen. Durch ein Theaterstück veranlaßt! Das macht wieder Mut.
Das Verdienst, die beiden Stücke herausgebracht zu haben, gehört der ›Gruppe Junger Schauspieler‹. Und auch das ist schön und seltsam. In einer Stadt mit mehr als dreißig staatlichen, städtischen und privaten Theatern mietet sich eine Gruppe stellungsloser junger Darsteller eine Vorstadtbühne und erobert, ohne Mätzchen, nur mit Charakter und Ernst behaftet, das verwöhnte, gelangweilte Publikum. Die anderen Bühnen verschwenden das Geld an Stars, Maschinen und Tamtam. Die ›Gruppe Junger Schauspieler‹ spielt ohne das alles und siegt! Es ist wie ein Märchen! Hoffentlich bleibt es lange so ...

Erich Kästner: § 218 Cyankali. In: Neue Leipziger Zeitung, 14. September 1929. Zitiert nach: Cyankali von Friedrich Wolf. Eine Dokumentation. Hrsg. von Emmi Wolf und Klaus Hammer. Aufbau-Verlag, Berlin und Weimar 1978, S. 135ff. © Atrium-Verlag, Zürich.

2. Ludwig Marcuse: [Kampfstück oder Rührstück?]

(1929)

I

[...] ›Kunst ist Waffe‹, heißt eine kleine Schrift Friedrich Wolfs. Ohne auf diese These zu antworten: Dies Stück ist Waffe. Dies Stück ist gemacht zur Berennung eines grausamen Paragraphen. Ein schnell und roh gezimmertes, aber theaterwirksames, über den Theaterraum hinauswirkendes Stück; nur da, um seine Schuldigkeit zu tun; nur da, um Menschen zu einem Sturm gegen ein menschenschluckendes Gesetz zu führen. Fällt das Gesetz, so fällt Wolfs Stück. Es macht keinen Anspruch auf Ewigkeits-Werte; es macht nicht einmal Anspruch auf Beisetzung im literarhistorischen Massen-Grab. Man fragt bei einer Pistole nicht, ob sie schön ist – sondern ob sie gut schießt. Wolfs Stück schießt gut. Wenn der Gegner fällt, wird dieses Stück nicht ins Kunst-Museum wandern. Dazu ist es nicht schön genug. Wenn diese Waffe nicht mehr gebraucht wird, wird sie überflüssig sein; denn ihr Wert liegt lediglich in der Besiegung des Gegners. Wäre das Stück nur erst überflüssig!

II

Der Regisseur Felber hielt Wolfs Stück für Kunst – während Wirkung, nicht Kunst die Tugend der Kampfstücke ist. Diese Tugend besitzt Wolfs Stück: es ist klar; unkompliziert; eindeutig; vorstoßend. Felber, der es auf tief, auf Stimmung umwittert spielte – auf Kammerspiel 1913, statt auf statistisch-dramaturgische Kampagne, machte an ›Cyankali‹ Ansprüche, die es weder leisten kann noch will. ›Cyankali‹ kommt als Dichtung nicht in Frage – wer es als Dichtung spielt, zerstört es; es ist die ausgezeichnete Volksversammlungsrede eines angreifenden Dramatikers. Felber rührte, statt zu schlagen; er machte aus Wolfs dramatischer Waffe einen Tränen-Kitzler. Um ganz deutlich zu sein, führe ich zwei charakteristische Beispiele an. Die Menz (Hete) hat zu sagen: »So viele Ärzte seid ihr in Deutschland ... Tausende Ärzte ... und so laßt ihr die Menschen sterben?« Eine flammende Anklage! Felber ließ diese Anklage herausweinen, statt herausschießen: Er bog so den Stoß gegen die Ärzte ab und ersetzte ihn durch Mitleid mit dem Mädchen. Das war typisch für diese Aufführung: Wolfs kämpferischer Haß gegen eine Institution wurde immer wieder umgesetzt in Mitleid mit einem privaten Schicksal. Die Zuschauer wurden gerührt, nicht mobil gemacht (bis auf die letzte Szene). [. . .]

Ludwig Marcuse: Friedrich Wolf: Cyankali § 218. In: Frankfurter Generalanzeiger, 31. Oktober 1929. Zitiert nach: Cyankali von Friedrich Wolf. Eine Dokumentation, s. o., S. 228ff. Ausschnitte. Marcuse bezieht sich auf die Frankfurter Erstaufführung von ›Cyankali‹ vom 30. Oktober 1929.

3. [Reflex kleinbürgerlicher Ideologie?]

(1930)

[...] Das Drama ›Cyankali‹ ist eine wuchtige Anklage gegen die bürgerliche Gesellschaft, ein Schrei von zehntausend Frauen und Müttern gegen den Schandparagraph 218. Es ist der Leidensweg der Arbeiterfrauen, wie ihn Hete verkörpert. Seelische Qualen, Depressionen, körperliche Schmerzen, Arbeitslosigkeit, Hunger, Wohnungslosigkeit treibt das Arbeitermädel, die Arbeiterfrau zur höchsten Verzweiflung. Der Staat droht mit Zuchthaus, wenn die Frau das keimende Leben in ihrer Notlage vernichtet. Anders ist es, wenn die Frau eine »Dame« der Gesellschaft ist, dann finden sich hilfsbereite Ärzte, die dem Wunsch gern nachkommen und das »Unwohlsein« beheben. Das Drama, so die Klassenfrage stellend, greift hinein in den proletarischen Kampf, findet seinen schärfsten Ausdruck in der Forderung der Geburtenregelung, in der Beseitigung des § 218. Wolf hat in diesem seinem Drama wohl verstanden, eine Lebensfrage der Arbeiterschaft, wie sie in der kapitalistischen Klassengesellschaft in Erscheinung tritt, dramatisch zu gestalten. Diese rein klassenmäßig gestellte Frage, von der Arbeiterschaft so empfunden und verstanden, Erleben der ganzen unterdrückten Klasse, Aufschrei der gequälten Mütter, wird und muß bei der Arbeiterschaft in der dargestellten Form Begeisterung für den Kampf gegen bürgerlichen Staat und Gesellschaft auslösen.

Wolf greift tief hinein ins proletarische Leben. Er greift eine Frage heraus, die heute zur Geißel für Millionen proletarischer Frauen und Mädchen geworden ist. Wolf kämpft für Geburtenregelung. Das ist der eigentliche Inhalt des Stückes. So weit, so gut. Wolf hat einige Stücke geschrieben, die sich mit dem proletarischen Klassenkampf beschäftigen. Nach der Aufführung von ›Kolonne Hund‹ glaubten viele, Wolf stände vor dem Aufstieg. Das ist nun nicht der Fall. So scharf, wie Wolf die Frage der Geburtenregelung als Arzt stellt, so katastrophal versagt er, wo er die Frage als Klassenfrage behandeln müßte. Wolf ist in

der Schilderung der Leiden der Proletarierinnen ein Meister. Aber er zeigt nicht den Ausweg. Er geht nicht den Weg des proletarischen Klassenkampfes. Sein letztes Wort: »Zehntausende ... müssen ... sterben, hilft uns denn niemand?«
Und doch tobt im Drama ein Kampf. Neunzigtausend Arbeiter auf die Straße geworfen – Aussperrung. Es zeigt sich dabei, daß der Dichter das Proletariat in seiner Eigenart verkennt, den eigentlich proletarischen Boden für das Milieu seines Dramas verloren hat und so zusammenhanglos in einem lumpenproletarischen, bürgerlichen Milieu seine Handlung spielen läßt. Paul ist Vertrauensmann in der Kantine. Die Arbeiter werden ausgesperrt, nach einiger Zeit plündert unter Führung Pauls eine Gruppe die Kantine für ihre eigenen Zwecke, um nachher im Unverstand zu »fressen«, die anderen Ausgesperrten können sehen, wie es ihnen geht. Wolf übergeht dabei die Klassenideologie der Arbeiter, die Solidarität der Streikenden, die Hilfsbereitschaft der Arbeiterorganisationen, wie zum Beispiel die IAH, usw., er hätte das unbedingt hervorheben müssen. Das moderne Proletariat führt seinen Kampf bewußt, nicht Plündern von einzelnen stärkt die Kampffront der Streikenden, jeder klassenbewußte Arbeiter lehnt das ab. Paul ist dadurch überhaupt zu einer zweifelhaften Figur geworden. So muß er auch später zu einer kleinbürgerlichen Person, dem »Kuckuck«, Zuflucht nehmen, der sich dazu noch rühmt: »Wenn er nicht wäre, hätte keiner einen Platz«, die kleinbürgerliche und lumpenproletarische Einstellung zwingt Paul in die Arme eines Kleinbürgers. Der Revolutionär, der Rebell gegen die kapitalistische Gesellschaftsordnung steckt nicht in ihm, findet deswegen nicht den Weg zu seinen Klassengenossen. Das würde, wenn auf dem Boden des Klassenbewußtseins gespielt, bedeutend gewonnen haben, so sind auch die philosophischen Weisheiten des »Kuckuck« nicht gut, vortrefflich dagegen der Charakter des Hausverwalters. Die furchtbaren seelischen und körperlichen Schmerzen und Leiden einer schwangeren Arbeiterin, die das Kind wegen ihrer Notlage nicht haben kann, in höchster Ver-

zweiflung zur Abtreibung gezwungen ist, kommt in Hete zum Ausdruck, der Leidensweg der unterdrückten Klasse. Der Arzt lehnt seine Hilfe ab, keinen Ausweg sehend, geht sie zur »Pfuscherin«, erhält dort Cyankali, an dessen Folgen sie stirbt. »Zehntausende müssen sterben – hilft uns denn niemand« sind ihre letzten Worte. Auch in Hete hat der Autor das Problem nicht genügend vom Klassenstandpunkt des Proletariats aus gestellt. Am besten ist es im Sprechzimmer des Arztes, eine klare Gegenüberstellung der beiden Klassen, die Hilfsbereitschaft für die »Dame« der Bourgeoisie, Gesundschreiben des kranken Proleten, ein »Simulant«.
[...] Da der Dichter die Klassenfrage nicht stellt, die aufgeworfenen Fragen nicht vom Standpunkt des klassenbewußten Proletariats aus beurteilt, die politische Erkenntnis über die heutige Gesellschaftsordnung und deren Überwindung verkennt, muß er somit den Boden unter den Füßen verlieren. Das Drama ist deswegen der Reflex kleinbürgerlicher Ideologie, nicht aber der proletarischen Weltanschauung.

Süddeutsche Arbeiter-Zeitung, Stuttgart, 12. März 1930. Zitiert nach: Cyankali von Friedrich Wolf. Eine Dokumentation, s. o., S. 180f. Ausschnitte.

4. Skandal, Protest und Hetze

(1929)
Gegen die Aufführung des Dramas ›Cyankali § 218‹ von Friedrich Wolf im Frankfurter Schauspielhaus erheben die katholische Geistlichkeit und eine Reihe von Verbänden öffentlich Protest. Das Stück bekämpft ein Gesetz, das den Schutz des werdenden Lebens bezweckt. Der um das Problem entbrannte Kampf dürfe nicht auf einer städtischen Bühne ausgetragen werden, die der Kunst und der Bildung der Bürgerschaft dienen soll und von dem Geld der Gesamtheit erhalten wird. In der Erklärung heißt es zum Schluß: »Wir erheben daher schärfsten Protest gegen

einen solchen Mißbrauch einer städtischen Bildungsanstalt, gegen eine derartige Entwürdigung der Kunst und Verwirrung der elementarsten sittlichen Begriffe. Wir sprechen die Erwartung aus, daß das Stück von dem Spielplan abgesetzt wird.«

General-Anzeiger, Frankfurt am Main, 6. November 1929.

Aus dem theaterruhigen Basel melden uns nachstehende Privattelegramme höchst unerfreuliche Vorgänge:

Basel, 23. März 1930

Bei der Aufführung von Friedrich Wolfs ›Cyankali‹ durch die Gruppe junger Berliner Schauspieler im hiesigen Stadttheater kam es zu derartigen Lärmszenen, daß die Vorstellung abgebrochen werden mußte.
Das Handgemenge, das sich in den verschiedenen Rängen entwickelte, zwang die Polizei zum Eingreifen. Nach Wiederherstellung der Ruhe konnte die Aufführung zu Ende geführt werden. Den Darstellern wurde am Schluß von ihren Anhängern eine Ovation dargebracht.

Basel, 24. März 1930

Der Krawall steht in der Geschichte des Stadttheaters einzig da. Noch nie sah das Haus derart turbulente Szenen. Auf dem Höhepunkt des Lärms entwickelte sich eine allgemeine Prügelei, so daß der Vorhang herabgelassen werden mußte. Die anwesenden Polizisten waren machtlos. Erst als die Polizei Verstärkung erhalten hatte, konnte das Stück zu Ende gespielt werden.
Es handelt sich um die ›Gruppe Junger Schauspieler‹, die vor Monatsfrist mit dem Tendenzstück ›Cyankali‹, einer geschmacklosen und trivialen Demonstration gegen § 218, in der Hamburger Volksoper gastierte. Wir haben uns schon damals veranlaßt gesehen, Stück und Aufführung – die ein Teil der Berliner Presse aus politisch-kulturellen Gründen überschwenglich gelobt hatte – bis auf wenige Ausnahmen abzulehnen.
Zum Ansehen der deutschen Schauspielkunst tragen derartige Vorkommnisse gewiß nicht bei. Es ist auch sehr

bedenklich, daß eine so junge, in ihren Leistungen noch nicht gefestigte Truppe Gastspielreisen ins Ausland unternimmt. Man ist draußen nur allzusehr geneigt, in solchen Gastspielen einen repräsentativen Akt zu sehen, und man gewinnt auf diese Weise naturgemäß ein ganz falsches Bild vom augenblicklichen Stand des deutschen Theaters, dessen Entwicklung durchaus nicht in der Richtung geht, wie es die ›Gruppe‹ und ihre Propheten wahrhaben wollen.
Auch Stücke von der Art des ›Cyankali‹, noch dazu, wenn sie als Produkt neudeutscher Dramatik ausgegeben werden, können nur verwirrend wirken. Das Ausland muß einen seltsamen Begriff von unserem dramatischen Markt bekommen, wenn ihm solche, in ihrer Formel wie in ihrer Formulierung gleich problematische Machwerke als Standardstücke vorgesetzt werden.
Nebenher: Diese Gruppe allzu junger Schauspieler hätte wohl nie den Mut aufgebracht, auf Auslandsreisen zu gehen, wenn ihr die hemmungslose Beweihräucherung nicht den Blick für die nüchternen Realitäten des Tages getrübt hätte.

Hamburgischer Correspondent, 24. März 1930. Zitiert nach: Cyankali von Friedrich Wolf. Eine Dokumentation, s. o., S. 232 und 200f.

Mörder unserer Ungeborenen.
Schwächung des Wirtsvolkes um jeden Preis, darum also Kampf gegen die Ungeborenen. Kampf gegen den »Gebärzwang«, Kampf für das ungehemmte Sichausleben beider Geschlechter, strafloser Mord am keimenden deutschen Leben – das sind die letzten, uns verhüllten Ziele. Frau Dr. Kienle-Jakobowitz, verurteilt wegen zahlreicher unerlaubter Eingriffe, und Dr. Friedrich Wolf, kommunistischer Arzt und Verfasser bluttriefender Rotfrontpoesie und des berüchtigten Tendenzstückes ›Cyankali‹, das für die Freiheit der Abtreibung Stimmung machte, zwei schändliche jüdische Verbrecher am deutschen Volkskörper.

Text unter den Portraitfotos von Else Kienle und Friedrich Wolf. In: Der ewige Jude. 265 Bilddokumente. Gesammelt von Dr. Hans Diebow. Verlag Franz Eher Nachf., München-Berlin, o. J., S. 96.

5. Bertolt Brecht: [Über die Wirkung von Wolfs ›Cyankali‹]

(Zwischen 1933 und 1941)

In der Zeit der Weimarer Republik hatte ein Stück aristotelischer Bauart, welches das Verbot der Abtreibung in den überfüllten Städten mit ihren beschränkten Verdienstmöglichkeiten als unsozial bewies, den großen Erfolg, daß die proletarischen Frauen, die es gesehen hatten, eine gemeinsame Aktion veranstalteten und erreichten, daß die Krankenkassen nunmehr die Bezahlung von Verhütungsmitteln übernahmen. Dieser Fall, der nicht der einzige, nur der deutlichste ist, den ich kenne, zeigt, daß diejenigen nicht recht haben, die befürchten, es würden durch Stücke aristotelischer Bauart zwar soziale Impulse erzeugt, aber auch gleich wieder verbraucht. Die Nützlichkeit aristotelischer Wirkungen sollte nicht geleugnet werden; man bestätigt sie, wenn man ihre Grenzen zeigt. Ist eine bestimmte gesellschaftliche Situation sehr reif, so kann durch Werke obiger Art eine praktische Aktion ausgelöst werden. Solch ein Stück ist der Funke, der das Pulverfaß entzündet. Wenn die Rolle der Wahrnehmung verhältnismäßig klein sein kann, da ein allgemein gefühlter und erkannter Mißstand vorliegt, ist die Anwendung aristotelischer Wirkungen durchaus anzuraten. In der obigen Situation würde nichtaristotelische Dramatik es vielleicht schwerer gehabt haben, eine unmittelbare Aktion auszulösen. Denn sie hätte unzweifelhaft die Frage erörtern müssen, wodurch das Gebärrecht zum Gebärzwang wird, und die Aktion, auf die sie hätte ausgehen müssen, wäre eine weit allgemeinere, größere, aber auch unbestimmtere und im Augenblick unmöglichere gewesen. Auch ein Stück nichtaristotelischer Dramatik müßte natürlich eine sofortige, mögliche, unmittelbare Erleichterung bringende, und durch ihren Erfolg weitertreibende Aktion auslösen können, eine ebensolche Aktion auf Bezahlung der Verhütungsmittel durch den Staat. Aber sie könnte nicht nur auf den Impuls losgehen. Das Recht, nicht zu gebären, als ein Teil des Rechts, zu gebären, dargestellt, hat vielleicht auf die Dauer mehr, aber im Augenblick weniger begeisternde Wirkungen. [. . .]

Bertolt Brecht: Unmittelbare Wirkung aristotelischer Dramatik. In: Gesammelte Werke, Bd. 15: Schriften zum Theater, 1. Suhrkamp Verlag, Frankfurt a. M. 1967, S. 248f. Ausschnitt. 5

II. Zu Wolfs Ästhetik

1. Friedrich Wolf: Vorspruch für ein Zeittheater

(1930)

5 Vorhang auf! Was spielen wir?
Scheinwerfer durch das Bühnenrevier!
Wir sitzen da, gespannt und bereit,
Durch Euch zu seh'n ein Bild unserer Zeit.
Vorhang auf: ›Die Wunderbar‹,
10 ›Jim und Jill‹, ›Victoria und ihr Husar‹,
›Das häßliche Mädchen‹, ›Die Liebe auf dem Lande‹,
Bitte, hier ist Rußland und seine Eheschande!
Sie können auch ›Die Braut von Messina‹ schauen
In der Frankfurterstraße, dort ...
15 Wo die Gummiknüppel auf die Proleten hauen.
Es steigt der ›Götz von Berlichingen‹,
Man hört kernige Ritterworte erklingen;
Keine Bauernschreie zu uns dringen,
Da sind keine schwarzen Bauernfahnen ...
20 In Hankau die Köpfe roter Partisanen
Täglich zu Dutzenden über die Klinge des Henkers springen!
Aber die Dichter unsrer Zeit,
Sie weben an dem kostbaren Seelenkleid
Der ›Königin Elisabeth von England‹,
25 Anno 1600 und »die Jungfräuliche« genannt,
»Ewigmenschliches« ward hier auch in der Herrscherbrust erkannt.

In Preußen sind 580 000 Familien ohne eigene Wohnung, von 6000 Tuberkulosekranken der Ortskrankenkasse Berlin haben 502 kein
30 eigenes Bett, 4800 sind ohne eigenes Schlafzimmer, jeder 5. jugendliche Arbeiter in Deutschland hat kein eigenes Bett ...

Aber das sind doch Probleme der Sozialwissenschaft,
Die Kunst ist eine andere Kraft;

Die »Elendsstücke« sind abgesagt,
Das war letzte Saison, heut wird anderes gefragt:
›Der Sommernachtstraum‹ – diesmal, Mensch, ganz gerissen –
Mit jungem »Nachwuchs« wird jetzt die Chose geschmissen, 5
Denn »Nachwuchs«, meine Herren, das ist der letzte Clou der Saison,
Das Wasser steht uns am Halse schon,
»Nachwuchs«!, schnell auch noch *die* Sensation! 10

200 Millionen chinesischer Arbeiter und Bauern Südchinas haben ihre Bedrücker verjagt und eine Räterepublik errichtet, ihre Truppen stehen vor Tschangtscha und Hankau; ganz Indien, 300 Millionen Menschen, befindet sich im permanenten Aufstand gegen das britische Imperium, sie boykottieren die englischen 15 Waren, die Zahl der Arbeitslosen Englands ist seit letztem Jahr um 1 Million gestiegen: 2,5 Millionen Arbeitsloser in England, 3 Millionen Arbeitsloser in Deutschland, 5 Millionen in den ›Vereinigten Staaten‹ ... in Budapest und Turin wurden Barrikaden errichtet, in den Kerkern Jugoslawiens werden Tausende 20 Arbeiter grausam gefoltert, 8000 deutsche Proletarier verkommen in deutschen Kerkern ...

Und in Berlin mit seinen Millionen Proleten,
Wo Hunger und Arbeitslosigkeit haust,
Da spielen den Winter gleich *zwei* Bühnen den ›Faust‹, 25
Damit wir ja auch die Quintessenz spüren:
Mags auch hier unten Dich hungern und frieren,
Magst Du auch hier unten im Elend verrecken,
Die Himmelskönigin wird nach Dir die Hände ausstrecken,
Denn wie Du auch strebst, Du entrinnst nicht dem Bösen, 30
Die Gnade von oben erst kann Dich erlösen!

Und während sie Dich mit dem ›Faust‹ »erheben«, schießen die christlichen Kanonen auf unsere Brüder in Hankau, Tschangtscha und Schanghai, werfen die christlichen Bombengeschwader auf unsere Genossen in Indien Giftgas und Granaten, zünden die 35 ›Kukkluklan‹-Faschisten die Ferienlager der Arbeiterkinder wegen einer roten Flagge mit Petroleum an, regieren sie in Deutschland mit »Bildung«, Notverordnung und Diktatur! Und sie sagen: »Das Volk will es ja nicht anders! Das Volk braucht diese Bildung, Notverordnung und Führung!« – »Das Volk ...«, ja ...

Während die Panzerwagen durch die Straßen fegen,
Und die Kugelspritzen die Menschen umlegen,
5 In Hankau, Kalkutta, Budapest, Galveston,
Da steht hier eine Million auf und dort eine Million,
Und immer mehr Schreie über die Erde schwirren,
Und immer mehr Ketten drohend klirren,
Und aller Augen nach dem Osten schaun,
10 Wo 150 Millionen eine neue Welt aufbau'n;
Nie noch auf dieser Erde ward so gehämmert, geschraubt,
Geackert, gezimmert, gekämpft und *geglaubt,*
Diskutiert, gelesen, gedruckt und geschrieben,
Und gespielt und die Sache vorwärtsgetrieben;
15 Denn *heute* sind Politik, Kunst, Fabrikarbeit und Wissenschaft,
Ein einziger Körper mit *einem* einzigen Blutsaft! –
In den Eimer daher mit den verstaubten Registern,
Mit den Literatur-Urgroßtanten und Bildungsphilistern,
20 Mit der ganzen dunstigen Ewigkeitswolke!
Die Kunst dem Tage! Die Kunst dem Volke!
Nach dem Takt, wie unsere Genossen marschieren,
Fangen auch wir an, die Feder zu führen;
Schon fassen wir Schritt, schon kommen die Stücke,
25 Schon springen Spielerkollektivs in die Lücke,
Schon verstehen uns plötzlich unsre Genossen,
Schon haben wir die Front geschlossen;
»Kulturbolschewismus« heult Spießer und Pfaffe.
Richtig!
30 Kunst ist nicht Dunst mehr; Kunst ist Waffe!!
Wenn die Massen auf den Straßen antreten,
Das ist kein Jahrhundert der Aestheten;
Da gilt's auch für uns, die Aermel hochstreifen,
Wir werden ein neues Lied Euch pfeifen,
35 Auch wir müssen lernen, hinhören, schrittfassen,
Jetzt stehen wir mitten unter den Massen,
Jetzt hört Ihr uns, und wir sind nicht stumm,
Die Stücke sind da *und* das Publikum,
Ein Publikum, für das sich das Spielen noch lohnt,

Wir stehen vor der Arbeiterfront,
Vorhang auf! Kein Bildungsgegaffe!
Die Bühne als Kampfplatz, die Kunst als Waffe!!

Arbeiterbühne und Film, XVII. Jg., Nov. 1930, Nr. 11, S. 6 und 7; Reprint Gaehme-Henke, Köln 1974, hrsg. von Rolf Henke und Richard Weber. 5

2. [Gespräch zwischen Friedrich Wolf und Bertolt Brecht]

(1949)

FRIEDRICH WOLF: Sie erklären in Ihren projizierten Zwischentexten *vor* den einzelnen Szenen (›Dreigroschenoper‹, ›Courage‹) die Handlung dem Zuschauer bereits voraus. Sie verzichten also bewußt auf die »dramatischen« Elemente der »Spannung«, der »Überraschung«. Auch so verzichten Sie auf das emotionale Erlebnis. Wünschen Sie um jeden Preis zuerst das Erkenntnisvermögen des Zuschauers zu erregen? Gibt es hier in diesem Sinne eine bewußte Folge im Theater: Erkenntnis ohne spannende Handlung, ohne Spieler und Gegenspieler, ohne Wandlung und Entwicklung der Charaktere? Wie sind im ›Hamlet‹, im ›Othello‹, in ›Kabale und Liebe‹ die dramatischen Spannungselemente (Exposition – Schürzung des Knotens, Peripetie – überraschende Lösung) in einer fast Detektivhandlung von Ihrer Dramaturgie aus zu werten? 10 15 20 25

BERTOLT BRECHT: Wie Spannung und Überraschung bei dieser Art Theater hergestellt werden, ist in Kürze nicht zu erklären. Das alte Schema »Exposition – Schürzung des Knotens – überraschende Lösung« ist ja schon in Historien wie ›König Johann‹ oder ›Götz von Berlichingen‹ außer acht gelassen. Eine Wandlung und Entwicklung der Charaktere findet natürlich statt, wenn auch nicht immer eine »innere Wandlung« oder eine »Entwicklung bis zur Erkenntnis« – das wäre oft unrealistisch, und es scheint mir für eine materialistische 30 35

Darstellung nötig, das Bewußtsein der Personen vom sozialen Sein bestimmen zu lassen und es nicht dramaturgisch zu manipulieren.

FRIEDRICH WOLF: Gerade in Ihrer ›Courage‹ – bei der Sie meines Erachtens den epischen Stil äußerst konsequent durchführen – bewies die Haltung der Zuschauer, daß die emotionalen Handlungsmomente Höhepunkte der Aufführung wurden (Trommelsignal der stummen Kattrin, wie überhaupt diese ganze Szene, der Tod des ältesten Sohnes, die Mutterszene mit »Verflucht sei der Krieg!«). Und nun kommt vom *Inhalt* her, der ja auch bei Ihnen die Form dieser wunderbar gestalteten Aufführung zu bestimmen hat, meine eigentliche Frage: Müßte diese Mutter Courage (historisch ist, was möglich ist), müßte sie, nachdem sie erkannt hat, daß der Krieg sich nicht bezahlt macht, nachdem sie nicht bloß ihre Habe, sondern auch ihre Kinder verlor, müßte sie am Schluß nicht eine ganz andere sein wie am Anfang des Stückes? Grade für unsre heutigen deutschen Zuschauer, die sich bis 5 Minuten nach 12 stets damit herausredeten: Was konnte man schon machen? Krieg ist Krieg! Befehl ist Befehl! Man zieht den Karren weiter. – Lieber Brecht, hier beginnt für mich (grade bei der großartigen Aufführung und Schauspielerführung, dieser verführerisch guten Aufführung) *auch in Ihrem Sinne* eine Kernfrage. Denn da wir beide mit den Mitteln der Bühne die Menschen weiterbringen – verändern wollen, ist die Wandlung des Menschen auf der Bühne und im Bewußtsein des Zuschauers ja das Endziel. Nun können Sie sagen: Ich stelle die Verhältnisse mit meiner Kunst so objektiv zwingend dar, wie das Leben ist, und zwinge damit die Zuschauer selbst, sich für Gut oder Böse zu entscheiden. Sie (Wolf) legen bereits auf der Bühne den Finger auf die Wunde, Sie verlegen die Entscheidung auf die Bühne, und diese Methode ist zu schmerzhaft, verträgt der Zuschauer heute nicht. Sie als Homöopath in der Heilkunst handeln auf der Bühne als Chirurg; ich gehe den umgekehrten Weg, der Zuschauer merkt seine Behandlung gar nicht und schluckt so die

Medizin. Richtig. Und doch wünschte ich sehr, Sie möchten Ihre ausgezeichnete ›Heilige Johanna der Schlachthöfe‹ in gleich vollendeter Inszenierung uns zeigen – und Sie sollten die Meute heulen hören! Aber es ist natürlich sinnlos, an einem Kunstwerk herumdoktern zu wollen. Meine Fragen dienen inmitten einer babylonischen Verwirrung auf dem Theater lediglich unserm gemeinsamen Ziel: Wie kann unsre deutsche Bühne unserm Volk das zeigen, was not tut? Konkret: Wie können wir es aus seinem Fatalismus aktivieren gegen einen neuen Krieg? Und da hätte ich mir die ›Courage‹ *noch* wirksamer gedacht, wenn ihre Worte »Verflucht sei der Krieg!« zum Schluß (wie bei der Kattrin) bei der Mutter einen sichtbaren Handlungsausdruck, eine Konsequenz dieser Erkenntnis gewonnen hätte. (Übrigens grade auch im 30jährigen Krieg rotteten sich die Bauern gegen die Soldateska zusammen und setzten sich zur Wehr.)

BERTOLT BRECHT: In dem vorliegenden Stück ist, wie Sie richtig sagen, dargestellt, daß die Courage aus den sie betreffenden Katastrophen nichts lernt. Das Stück ist 1938 geschrieben, als der Stückeschreiber einen großen Krieg voraussah: Er war nicht überzeugt, daß die Menschen »an und für sich« aus dem Unglück, das sie seiner Ansicht nach betreffen mußte, etwas lernen würden. Lieber Friedrich Wolf, gerade Sie werden bestätigen, daß der Stückeschreiber da Realist war. Wenn jedoch die Courage weiter nichts lernt – das Publikum kann, meiner Ansicht nach, dennoch etwas lernen, sie betrachtend.

Ich stimme Ihnen darin absolut zu, daß die Frage, was für Kunstmittel gewählt werden müssen, nur die Frage sein darf, wie wir Stückeschreiber unser Publikum sozial aktivieren (in Schwung bringen) können. Alle nur denkbaren Kunstmittel, die dazu verhelfen, sollten wir, ob alte oder neue, zu diesem Zweck erproben.

Formprobleme des Theaters aus neuem Inhalt. In: Bertolt Brecht: Gesammelte Werke, Bd. 17: Schriften zum Theater 3, Anmerkungen zu Stücken und Aufführungen 1918–1956. Suhrkamp Verlag, Frankfurt a. M. 1968, S. 1142ff.

III. Der Film

Antrag des Bayerischen Staatsministeriums des Innern vom 7. August 1930 an die Filmoberprüfstelle Berlin. »Betreff: Widerruf der Zulassung des Bildstreifens ›Cyankali‹«

[...] ›Cyankali‹ ist ein ausgesprochenes Tendenzstück. Es richtet sich gegen den § 218 des Reichsstrafgesetzbuchs. »Wie gerne würde ich helfen, wenn ich dürfte ... das Gesetz bindet uns Ärzten jedoch die Hände« sagt Dr. Moeller im 6. Akt 7. Tit. zu Hete und läßt ihr den § 218 lesen.

Nach § 1 Abs. 2 Satz 3 des Lichtspielgesetzes darf einem Bildstreifen die Zulassung wegen einer sozialen oder Weltanschauungstendenz als solcher nicht versagt werden. Diese Schutzvorschrift begründet jedoch nicht die Notwendigkeit, den Filmstreifen ›Cyankali‹ zuzulassen. Denn die Darstellung der im Film vertretenen Tendenz enthält schwere Verstöße gegen die in § 1 des Gesetzes niedergelegten Verbotsgründe. Es gilt in dieser Hinsicht und zwar in verstärktem Maße, was die Filmoberprüfstelle in ihrer Entscheidung vom 15. 4. 1925 Nr. 139 zu dem Verbote des Bildstreifens ›Muß die Frau Mutter werden?‹ ausgeführt hat.

1. Der Bildstreifen ›Cyankali‹ arbeitet bei der Verfolgung seiner Tendenz in nicht gewöhnlichem Maße mit unrichtigen Beweggründen, Übertreibungen und Entstellungen. Er schildert die Not einer kinderreichen Arbeiterfamilie, in der noch dazu der Vater ein Säufer ist. Er zeigt die Nöte und den traurigen Untergang eines Mädchens, das ein aus einem Liebesverhältnis stammendes Kind aus wirtschaftlichen Gründen nicht austragen zu können glaubt. An aller Not soll der § 218 schuld sein. Welche Rolle der geschlechtlichen Leichtfertigkeit des einzelnen zukommt, dafür findet sich nicht die leiseste Andeutung. Geschlechtsverkehr ist

etwas Selbstverständliches, irgendwelche Verantwortung wird dadurch nicht übernommen, Enthaltsamkeit gibt es nicht. Das ist der Eindruck, den die Besucher der Lichtspieltheater aus der Darstellung in dem Bildstreifen ›Cyankali‹ gewinnen müssen. Was nicht in Ordnung ist, das ist das Gesetz. Es bindet den hilfsbereiten Ärzten die Hände; es steht im Widerspruche mit dem natürlichen Rechts- und Sittenempfinden. »Ein Gesetz, das in jedem Jahre 800 000 Mütter zu Verbrechern macht, das ist kein Gesetz mehr«, sagt der Arbeiter Paul Krüger. (10. Akt 5. Szene.) Das Gesetz ist schuld an dem Tode der Opfer der Abtreibung. »Nicht der Abtreiber, sondern der Staat soll den Millionen Arbeitslosen, Wohnungslosen, Brotlosen helfen«, verlangt Paul Krüger. Wenn er dabei auch das Schlagwort »Geburtenregelung« gebraucht, so kann in diesem Zusammenhang auch diese Forderung nichts anderes als das Verlangen nach Freigabe des ärztlich geleiteten Abortus bedeuten. »Zehntausende müssen sterben, hilft uns denn niemand?« spricht die sterbende Hete.

Die Vorschrift des § 218, die geltendes Recht und Niederschlag der sittlichen und rechtlichen Auffassung des verantwortungsbewußten Teiles des Volkes ist, wird sonach durch eine völlig schiefe und verzerrte Darstellung bekämpft. Die Vorführung des Bildstreifens ist daher geeignet, die öffentliche Ordnung zu gefährden und das Vertrauen in die sittliche Berechtigung des Gesetzes zu erschüttern.

Es ist ihm darüber hinaus auch eine entsittlichende Wirkung beizumessen; es gilt hier insbesonders Wort für Wort, was in Abs. VI der bereits erwähnten Entscheidung der Filmoberprüfstelle vom 15. 4. 1925 ausgesprochen ist.

2. Der Bildstreifen gefährdet weiterhin die öffentliche Ordnung dadurch, daß er den ärztlichen Abortus als das gegebene Mittel zur Beseitigung der sozialen Notlage hinstellt, von den schädlichen Folgen, die auch der vom Arzt ausgeführte Eingriff vielfach hat, jedoch nicht spricht. Der Bildstreifen macht ferner den Ärztestand verächtlich. Sein Vertreter, Dr. Moeller, ist der eleganten Dame der vornehmen Welt gegenüber sehr entgegenkommend und

verschafft ihr die angebliche Hilfe der ärztlichen Schwangerschaftsunterbrechung durch ein nicht sonderlich glaubhaft klingendes hausärztliches Zeugnis; dem unbemittelten Fabrikmädchen gegenüber beruft er sich auf das Gesetz. Auch hierin ist eine Störung der öffentlichen Ordnung zu erblicken.

Auch zu diesen Ausführungen kann auf die genannte Entscheidung der Filmoberprüfstelle vom 15. 4. 1925 (Abschn. V) verwiesen werden.

3. Der Bildstreifen ist ferner geeignet, das Vertrauen in die Rechtspflege zu erschüttern.

Denn das Auftreten des Polizeikommissars am Sterbebette Hetes, die Kundgabe seiner Absicht, Frau Fent vom Bette der sterbenden Tochter weg zu verhaften und mitzunehmen, woran er nur durch den Einspruch des Kreisarztes gehindert wird, muß vom Beschauer als unbegründete Härte aufgefaßt werden. Denn daß die alte Frau, über deren Schuld sich zudem der Beschauer im unklaren befindet, vom Sterbebette ihrer Tochter nicht fliehen wird, empfindet jeder Beschauer als selbstverständlich. Im Zusammenhange mit der Darstellung der angeblich ungerechten und grausamen Gesetzesvorschrift des § 218 wird auf solche Weise im Beschauer der Eindruck eines brutalen, der Menschlichkeit widersprechenden Verhaltens der Rechtspflege und ihrer Organe hervorgerufen und zwar mit einer Übertreibung und Entstellung der tatsächlichen und der Rechtslage, die den Grad des filmdramatisch Zulässigen überschreitet. Hierin ist ebenfalls eine Gefährdung der öffentlichen Ordnung zu erblicken.

4. Der Bildstreifen ›Cyankali‹ ist weiter geeignet, verrohend zu wirken. Er ist im wesentlichen stummer Film, nur dort, wo die Wirkung besonders gesteigert werden soll, wird er tönend. Dadurch wirken die Schreie und das Jammern Hetes bei Frau Heye (8. Akt) und auf dem Sterbelager (letzter Akt) ganz unverhältnismäßig stärker auf den Beschauer als im reinen Tonfilm. Die mit den Abtreibungsvorgängen zusammenhängenden Darstellungen (Versuch Hetes an sich selbst im 7. Akt, Verhalten der Heye im 7. und 8. Akt) wirken an sich auf das Gefühlsle-

ben des normalen Menschen abstumpfend, die Schreie und das Jammern Hetes sind für den Zuschauer nahezu unerträglich und bedeuten eine übermäßige Häufung objektiv roher Vorgänge; sie wirken auch subjektiv verrohend und zwar um so mehr, als es sich um ein Gegenwarts-Problem handelt, in das der Beschauer sich unmittelbar hineingestellt fühlt. Irgendwelche Gegenwerte, die die verrohende Wirkung ausschließen oder mindern können, sind nicht vorhanden.

Diese Eingabe wurde am 12. 8. 30 weitergeleitet an einen mysteriösen »Geschäftsteil X mit der Bitte um Äußerung«, die von diesem dann handschriftlich auf der Eingabe vorgenommen wird: »Dr. Wolf ist Arzt in Stuttgart. Er steht m. W. auf dem Boden der Kommunistischen Partei. Ich habe einmal einem Vortrag von ihm angewohnt u. bei demselben den übelsten Eindruck von diesem ›Kollegen‹ mitgenommen. Den Ausführungen des Bayr. Staatsministeriums des Innern stimme ich voll zu. Wir müssen, solange als möglich, derartigen Tendenzstücken entgegentreten, um den Staat zu retten.«

gez. GX

Dokument aus dem Hauptstaatsarchiv Stuttgart, E 151 C II, Büschel 27. Ausschnitt.

IV. Der ›Prozeß‹

1. Friedrich Wolf: Die Machtprobe

(1931)

Unser Stuttgarter Prozeß ist nur zu einem Teil eine
5 Rechtsfrage. Im Grunde ist er eine der Machtproben der
neuen geistigen und politischen Reaktion in Deutschland.
Von den weißen Mäusen des Doktor Goebbels über die
Filmverbote am laufenden Band und die wesentliche
Encyklika des Papstes vom 31. Dezember 1930 verläuft bis
10 zu unserm Stuttgarter Prozeß eine schnurgrade Linie. Kein
Zufall, man hat grade mich aus der Zahl der Stuttgarter
Ärzte, die ebenfalls Zeugnisse ausstellten, herausgegriffen
und verhaftet; man hat mich, der ich selbst nie einen
Eingriff vornahm, der »Mittäterschaft« (nicht der Beihilfe)
15 beschuldigt; man hat mich laut Haftbefehl der »gewerbsmäßigen Abtreibung« bezichtigt, jener diffamierendsten
und schwersten Form, auf der Zuchthaus steht. Man will
offenbar ganze Arbeit machen mit einem Mann, der seit
Jahren in Wort und Schrift gegen diesen Paragraphen
20 kämpft. Man hält den Zeitpunkt für geeignet: die erfolgreichen weißen Mäuse, die ungehemmt schaltende Filmzen-
sur, die päpstliche Kulturoffensive; also griff man zu. Aber
man geriet mit einem brennenden Streichholz in eine
Pulverkammer.

25 Noch nie hat Stuttgart solche Erregung erlebt wie in den
letzten Wochen, überfüllte Massenversammlungen gleichzeitig in fünf der größten Säle; nicht Eintagssensation,
sondern Empörung bis weit ins Bürgertum und Kleinbeam-
tentum. Das beweisen mir die Stöße von Zustimmungen
30 grade aus diesen Kreisen, die auch heute noch täglich aus
ganz Deutschland bei mir eintreffen. Lehrer, Ärzte, Juri-
sten, Postbeamte, sogar Pfarrer schreiben und bekennen
sich zu unsrer Sache. Auf der Straße sprechen mich
unbekannte Menschen an, ein Ingenieur, eine ältere Frau,
35 ein Straßenbahner und sagen: »Herr Doktor, Ihr Prozeß

hat mir den Anstoß gegeben; ich habe mich bei der Kommunistischen Partei einschreiben lassen.« Die Bezirksleitung der Kommunistischen Partei gewann in den ersten zehn Tagen des Prozesses allein für Stuttgart 352 neu eingeschriebene Mitglieder. Tausende Sympathisierender sind aufgerüttelt und stehen auf dem Sprung. Indessen höhern Ortes bewahrt man seine Ruhe. Man sagt: »Was ist denn los? Der Mann hat sich gegen das Gesetz vergangen und wird verknackt. Das ist bei silbernen Löffeln so und bei dem § 218. Wir haben nach geltendem Recht zu verfahren.«

Am 15. Februar war ich zur Hauptprobe meiner ›Matrosen von Cattaro‹ in Frankfurt. Man rief mich von Stuttgart an, mir drohe ein Haftbefehl. Ich teilte dies Herrn Direktor Hellmer und einigen Darstellern am Neuen Theater mit. Am nächsten Tage fuhr ich nach Stuttgart und arztete dort weiter. Am 19. Februar abends erfolgte meine Verhaftung, weil ich »fluchtverdächtig« sei. In diesen fünf Tagen wußte meine mitangeschuldigte Kollegin, Frau Doktor Kienle, ebenso wie ich, daß man wegen Verbrechens wider den § 218 gegen uns vorgehen wolle. Mit Absicht haben wir uns in diesen Tagen weder getroffen noch unsre Zeugnisse und Kartotheken abgeändert oder vernichtet; soviel zur »Kollusions- oder Verdunklungsgefahr«. Ich wurde dann noch in der Nacht, nach eingehender Leibesvisitation, in eine reich mit Mäusen bevölkerte Einzelzelle des Polizeipräsidiums gebracht; am nächsten Morgen nahm man, trotz meines Einspruchs, Fingerabdrücke von mir. Dann kam ich in eine hygienisch tadellose Einzelhaftzelle des Untersuchungsgefängnisses. Auch die Behandlung war dort human. Dennoch muß ich grade im Interesse meiner noch inhaftierten Kollegin betonen, daß jede längere Einzelhaft – und wäre sie in einem goldenen Käfig bei Kaviar und Sekt – einen lebendigen Menschen langsam vernichten kann. Dauernd gehen nachts die Wasserleitungen im Zellenbau, halten die Häftlinge den Kopf unter den Hähnen und schlurfen über und neben einem die Schritte der Schlaflosen.
Ich protestierte vor dem Untersuchungsrichter vor allem

gegen die Beschuldigung der »gewerbsmäßigen Abtreibung«. Man hielt mir vor, ich habe im Gegensatz zu den andern Kollegen weitaus die meisten Zeugnisse ausgestellt, etwa fünfzig bis sechzig in anderthalb Jahren. Ich entgegnete, ich sei der einzige Arzt in Stuttgart gewesen, der Dutzende von öffentlichen Vorträgen in den größten Sälen, in Kursen der Volkshochschule und Arbeiterhochschule über Geburtenregelung und Sexualhygiene gehalten habe, der durch seine Schriften und durch sein Stück gegen den § 218 das besondere Vertrauen grade der Arbeiterschaft genieße; ich betonte, daß ich in allen Vorträgen vor der Abtreibung gewarnt und für die Geburtenregelung plädiert habe (vergleiche mein Vorwort zu Margaret Sanger ›Zwangsmutterschaft‹, Deutsche Verlags-Anstalt, Stuttgart-Berlin, 1929), daß für mich die Unterbrechung der Schwangerschaft nur die ultima ratio sei, wenn die Geburtenregelung versage oder die Gesundheit der Mutter bedroht sei ... auch durch soziale Not; ich betonte weiter, daß ich mindestens ebensoviel gesunde Frauen in guter sozialer Lebenslage abgewiesen habe, daß mein Honorar für eine körperliche Untersuchung plus begründetem Zeugnis fünf bis zehn Mark betrug, daß ich an Bedürftige das Zeugnis auch kostenlos ausstellte. Man hielt auch im Haftprüfungstermin »Mittäterschaft« und die »Gewerbsmäßigkeit« aufrecht. Inzwischen sind eine ganze Anzahl spontaner Briefe von Frauen bei mir eingetroffen, die bezeugen, daß ich ihnen riet, das Kind auszutragen. Kann man mir verdenken, wenn ich annehme, man will mit diesem Prozeß einen politisch Mißliebigen, nachdem man ihn wirtschaftlich ruiniert hat, mit dem Anwurf der »gewinnsüchtigen, gewerbsmäßigen Abtreibung« nun auch moralisch vernichten! Dieser Versuch ist – wie das Gericht auch entscheiden wird – bereits mißlungen ... vor dem Forum des Volkes, das für mich die letzte Instanz bedeutet! Es ist auch kein Zufall, daß man grade meine Kollegin, Frau Doktor Kienle, herausgriff ... mag sie einmal einen Kunstfehler begangen haben oder nicht. An den andern Kliniken geschieht wohl nie ein Kunstfehler? Aber Frau Doktor Kienle war die Stuttgarter Ärztin, die kostenlos die

Beratungsstelle des ›Reichsverbands für Geburtenregelung und Sexualhygiene‹ verwaltete. Kommt wirklich ein Urteil »Im Namen des Volkes« und nicht im Namen des Paragraphen zustande, so ist das Urteil schon heute gesprochen.

In meinem besondern Fall konzentriert sich Anklage und Interesse um das Problem der »gemischten« medizinischen plus sozialen Indikation. Denn eine Anzahl meiner Zeugnisse lauten: Ich halte die Unterbrechung der Schwangerschaft wegen eines Herz-, Lungenleidens für erforderlich, zumal Frau X genötigt ist, berufstätig zu sein; oder: zumal Fräulein Y auf ihre Erwerbstätigkeit angewiesen ist. Jeder Mensch, der im Leben steht, weiß, daß eine Arbeiterin, eine Stenotypistin, eine Lehrerin, ein Dienstmädchen a tempo Stelle und Arbeit verliert, wenn sie ein Kind austragen muß, daß sie mit dem Säugling dann in Elend und Hunger gerät, daß ihr vielleicht noch heilbares körperliches Leiden durch die soziale Komponente von Mehrarbeit, seelischer Qual, Herumgestoßenwerden, Nahrungsmangel, Kräfte- und Blutverlust durch die Geburt des Kindes verschlimmert wird. Nicht zu reden von der kränklichen Frau eines Arbeitslosen mit vier Kindern, die ihr fünftes erwartet. Es ist eine Schande, daß man über diese selbstverständlichen Dinge im Deutschland der fünf Millionen Arbeitslosen heute überhaupt noch diskutieren muß. Die Württemberger Ärztekammer, Stuttgart, allerdings hielt es am 8. März 1931 in ihrer Kundgebung zu unserm Prozeß für richtig, sich hinter die Richtlinien des Leipziger Ärztetages von 1925 zu verschanzen und nur die »medizinische« Indikation gelten zu lassen. Sollte es in Stuttgart wirklich unbekannt sein, daß 1924/25 die Zahl der Erwerbslosen in Deutschland 805 000 betrug, im Jahre 1931 dagegen fünf Millionen? Daß somit die sachlichen Voraussetzungen 1925 völlig andre sind als 1931? Ist der Stuttgarter Ärztekammer nicht bekannt, daß die Berliner Ärztekammer bereits in ihrer Sitzung vom 3. Dezember 1928 den Antrag angenommen hatte, daß »zugleich mit der gesundheitlichen auch die sozial-wirtschaftliche Indikation in Betracht gezogen werden darf«? In gleichem Sinne spricht sich die bekannte Eingabe der 375 deutschen Ärztinnen und die geheime Abstimmung der Hamburger Ärzteschaft von 1930 aus. [...]

Man sieht, der Stuttgarter Prozeß hat viele Hintergründe. Es ist ein ganzes System, das gegen uns steht. Es ist eine ganz bestimmte lokale und doch typische Atmosphäre, die den Prozeß in dieser Form und in diesem Umfang so üppig gedeihen ließ. Stuttgart ist wirklich eine besondere Stadt; landschaftlich mit seinem terrassenförmigen Aufbau an den bewaldeten Höhen vielleicht die schönste Stadt Deutschlands. Auch auf seine Geschichte kann es stolz sein: auf die kühnen, der Zeit vorauseilenden Bauernrevolten des ›Armen Konrad‹ im Remstal und der Rauhen Alb; hier flammte um 1514 zum erstenmal der deutsche Bauernkrieg auf, der Kampf des »gemeinen Mannes« gegen die »großen Hansen«, hier steckten die schwäbischen Bauern zum erstenmal die Sensen auf und kämpften um ihre ›Zwölf Artikel‹: gegen »die römischen Räte« und das römische Recht für das altgermanische Recht der »Allmende« und des kollektiven Gemeindeeigentums, ein wirklich großer sozialer Volkskampf, dessen Ziel es war, zu einem geeinten Volk »den Brüdern überm Main die Hand zu reichen«. Heute schneidet die Mainlinie schärfer denn je durch Deutschland. Größer denn je ist die Kluft zwischen dem römischen Paragraphenrecht und dem Rechtsbewußtsein des Volkes. Mitten durch unser Volk läuft der Schützengraben.
Grade unser Prozeß verschärft und beleuchtet grell die Fronten. Ich weiß, man will hier die Sache bagatellisieren: Ein Straffall wie hundert andre. Die Herren täuschen sich. Die Massenversammlungen von Hamburg bis Breslau, von Königsberg bis Mannheim sprechen eine andre Sprache. Die Zeit geht nicht rückwärts. Dieser Prozeß ist in den Tagen der fünf Millionen Erwerbslosen eine Provokation. Höhern Ortes nimmt man das hier nicht allzu tragisch; man hält die Erregung für »Berliner Mache«, für ein Kunstprodukt der »Berliner Asphaltpresse«; man wird hier mit gebundener Marschroute den Weg zu Ende gehen. Es ist

gut. Dieser Prozeß, der uns aufgezwungen wurde, wird Hunderttausenden die Augen öffnen. Auf der einen Seite des Grabens steht das römische Paragraphenrecht mit seinem Beharrungsvermögen; auf der andern Seite aber steht das Rechtsbewußtsein des Volkes, steht das Heer der 5 fünf Millionen Arbeitslosen, die weiter Kinder zeugen oder »sich enthalten« sollen, steht die Million deutscher Frauen, die jedes Jahr zur Selbsthilfe der Abtreibung greift und somit zu »Verbrechern« wird.

So stehen die Fronten! Eine Machtprobe der Reaktion! Ein 10 Signal für die Massen!

Die Weltbühne, Nr. 12, 24. März 1931, S. 413–418. Ausschnitte.

2. Polizeilicher Spitzelbericht zu den Solidaritätsveranstaltungen in Stuttgart am 26. Februar 1931 15

26. 2. 31 Stuttgart:
Protestkundgebung der KPD gegen die Verhaftung der Ärzte Dr. med. Wolf und Frau Dr. Jacobowitz-Kienle und gegen den § 218 im Festsaal der Liederhalle, im Bürgermuseum und im Gustav-Siegle-Haus. 20

Redner:
Dr. Lothar Wolf – Berlin,
Ottomar Geschke, M. d. R.,
Frau Dr. Wolf, die Gattin des verhafteten Dr. Friedrich Wolf,
Josef Schlaffer, M. d. R., 25
Barbara Esser, M. d. R.,
Dr. med. Breuninger – Stuttgart.
Teilnehmerzahl:
Liederhalle: 3000,
Bürgermuseum: 450, 30
Gustav-Siegle-Haus: 1100.

Der Fall »Wolf« ist in der Tagespresse in mehr oder weniger sensationeller Aufmachung eingehend besprochen worden. An dieser Stelle interessiert lediglich die Geschäftigkeit, mit der die KPD die Verhaftung des bekannten Schriftstellers und Arztes zu ihrer Sache gemacht hat. Die gierig nach jedem Propagandastoff greifenden Agitatoren der Partei haben schlagartig ihren riesigen Agitpropapparat eingesetzt und schrecken vor keinem Mittel zurück, diesen an sich ganz unpolitischen Fall zu einer politischen und kulturpolitischen Propaganda größten Stils auszuschlachten. Die widerspruchsvolle Haltung des inzwischen auf Grund einer Kaution von 10 000 Mark entlassenen Dr. Wolf kommt ihnen dabei sehr zu Hilfe.

In der Versammlung, in der neben den Kommunisten auch zahlreiches sensationslüsternes bürgerliches Publikum mit den einschlägigen kulturbolschewistischen Gedankengängen bekannt gemacht wurde, bildete sich ein ›Komitee gegen den Schand- und Mordparagraphen 218‹. Der vorläufige Vorsitzende des Komitees, Rechtsanwalt Dr. Pahl, forderte besonders die Kreise der Intellektuellen auf, sich dem Komitee anzuschließen. Der Reichstagsabgeordnete Geschke kündigte einen von der Arbeitsgemeinschaft sozialpolitischer Organisationen (Arso) getragenen Volksentscheid für die Abschaffung des § 218 an.

Erwähnt werden muß eine Äußerung des Reichstagsabgeordneten Schlaffer, der nach der Bekanntgabe des vom Polizeipräsidium erlassenen Demonstrationsverbotes in schärfster Weise gegen Regierung und Polizei hetzte. [. . .]

Dokument aus: Geheimes Staatsarchiv, Berlin-West. Ausschnitt.

3. Bertolt Brecht: [Über den § 218. Äußerung zu einer Rundfrage]

So wie der Staat es in seiner Justiz macht – er bestraft den Mord, sichert sich aber das Monopol darauf –, so macht er es eben überhaupt: Er verbietet uns, unsere Nachkommen am Leben zu verhindern – er wünscht dies selber zu tun. Er behält sich vor, selber abzutreiben, und zwar erwachsene, arbeitsfähige Menschen.

März 1930. Gesammelte Werke (Dünndruckausgabe), Band 8. Suhrkamp Verlag, Frankfurt a. M. 1967, S. 598. In der Ausgabe ›Cyankali von Friedrich Wolf. Eine Dokumentation‹, s. o., S. 278, erscheint der Text als Äußerung Brechts auf einer Kundgebung gegen § 218 im Wallnertheater am 28. 2. 1931, zitiert nach ›Die Welt am Abend‹, Berlin 2. 3. 1931.

4. Otto Häcker: Das Stuttgarter Drama

In der Nähe gesehen

(1931)
Fahrt ins Menschlich-Allzumenschliche, wenn man sich aus dem Bereich akademischer Streitgespräche und politischer Manifeste, die in der Sache des Dichters und Philanthropen Friedrich Wolf ergehen, dem konkreten Lokalfall des Dr. med. gleichen Namens zuwendet, um den sich im Stuttgarter Justizgebäude die Aktenstöße türmen. Ist es denn, in der Nähe gesehen, wirklich der Fall, der die große Streitfrage § 218 beispielhaft zeigt, der das Leben einer Stadt sich zum Rohstoff nimmt, um das verhängnisvolle Widerspiel der sozialen und ethischen Mächte, die ganze Tragik dieses Problems darzutun? Wird man sich der Fakten bewußt, so müßte man daran glauben: 300 Frauen in ein Verfahren verwickelt, weil eine ärztliche Kartothek – eine unter wie vielen? – ihren Namen nannte; ein Prozeß, der vielleicht morgen schon den bisher abgegrenzten Rahmen sprengt und so den Beweis erbringt, daß hier nicht der

Mensch, sondern das Gesetz fragwürdig erscheint; fragwürdig vor dem Rechtsbewußtsein des Volkes, das hier, fast nur am zufälligen Objekt, zur Entscheidung gedrängt wird.

Man hüte sich vor fertigen Formulierungen – zunächst: es ist in Stuttgart. In einer Weinstube der Altstadt erklärt der Oberregierungsrat dem Berliner Zeitungsmann: »Das ischt e schwäbische Sach. Die geht sonsch niemand was an.« Schluck, Pause. »Ond die Berliner scho gar nix.« Eine einprägsame Aufklärung, gegeben in der Nähe des Denkmals für jenen Regimentsmedikus Schiller, dem die Luft dieser Stadt so schlecht bekam, daß er ins Ausland, nach Mannheim, verzog. Aber man versteht dieses Wort, wenn man den altschwäbischen Menschenschlag kennt, der die Erhaltung seiner Art will; wenn man den Geist dieser Stadt verspürt hat, die trotz äußerer, fast sprunghafter Aufwärtsentwicklung auf dem konservativen Element einer festverwurzelten Gesellschaft erblüht ist.

Eilfertig klingeln über den Schloßplatz die Straßenbahnen; die Königstraße, vom modernsten deutschen Bahnhof an neuen Geschäftsbauten entlangführend, hat großstädtisches Tempo. Zwischen den krummen Giebeln der Altstadt steigt modernste Architektur, der Tagblatt-Turm auf; in klarer Schichtung, fast südländisch angelegt, zeichnen sich auf der Höhe die flachen Bauten der Werkbundsiedlung ab. Das alles gibt es und es erscheint nach außen als Signum für den aktiven, aufgeschlossenen Geist dieser Stadt. Aber im Innern regt sich die Skepsis. Der solide Geschäftssinn des eingesessenen Bürgertums verhält sich mißtrauisch gegen solche Errungenschaften, und die häufigen Konkursanzeigen im neuen Geschäftsviertel geben ihm heute in manchem recht.

Rückschläge, aber nicht nur in der geschäftlichen, sondern auch in der moralischen Bilanz! »Die Revolution der modernen Jugend« erscheint zunehmend suspekt. Aber im Grunde genommen bedeutet sie ja kaum ein Problem. Diese jungen Mädels, deren Lebensstil nach außen hin mit Berliner Allüren einem Magazin entsprungen scheint, sind in ihren Liebesaffären doch sehr gemütvoll. Es besteht keine tragische Kluft zwischen bürgerlicher Konvention und dem Freiheitsbedürfnis dieser Jungen. Und kommt es gelegentlich doch zu einem Eklat, so wird er in der großen »Familie« beigelegt. Es gibt wohl Kreise daneben, die aus eigener Anschauung, frei von konventionellen Bindungen, leben, aber sie bestimmen nicht das geistige Ferment der dominierenden Schicht des Besitzbürgertums und der schwäbischen Beamtenschaft. Es ist nicht die »Klasse« im eigentlichen Sinn, die hier verwaltet, Recht spricht und regiert. Aber die Gesellschaft gibt weltanschaulicher und sozialer Problematik nur wenig Raum, und sie wendet sich, schon aus dem Instinkt der Erhaltung, gegen Einflüsse, die dieses wohlgeordnete, abgestufte Gemeinwesen stören und zersetzen.

Der Arzt und Dichter Friedrich Wolf ist fremd in dieser Welt. Das Pathos eines sozial gerichteten Willens, der die Macht seiner Anklage aus der Not des Industrieproletariats nimmt, findet hier keine gleichgestimmte Resonanz. Was weiß diese Stadt, dieses ganze Land, dessen soziale Struktur in verhältnismäßig günstiger Form auf Industrie, Gewerbe und kleinbäuerlichem Besitz ruht, von der mörderischen Arbeit im Kohlenrevier, von den Elendsquartieren der großen Industriestädte. Not gibt es freilich auch hier, aber es ist mehr die Not des einzelnen. Proletarische Kampfstimmung gedeiht wohl in einzelnen schwäbischen Industriebezirken, auch in Stuttgart selbst, aber sie bleibt doch einigermaßen lokal begrenzt. Sie bedeutet noch keine Gefahr für ein Land, in dem die sozialen Gegensätze nie so schroff wie jenseits des Mains gewesen sind. In der bürgerlichen Atmosphäre erscheint deshalb der soziale Kämpfer Friedrich Wolf als fanatischer Doktrinär, und wegen seiner Zugehörigkeit zur Kommunistischen Partei von vornherein als Gegner. Seine politische Überzeugung trennt ihn, auch in seinem Kampfe gegen § 218, von denen, die sich sozialen Anschauungen nicht verschließen.

Aber ist der § 218 für die Stuttgarter Richter überhaupt ein Problem? Die Anekdote, die den Staatsanwalt nach der Verhaftung Friedrich Wolfs beim Landestheater anfragen läßt, ob dortamts ein Stück ›Cyankali‹ bekannt sei, ist vermutlich erfunden. Aber nicht schlecht erfunden. Man hat den Fall von Anfang an nach dem »Schema F« behandelt. Man hat das Verfahren gegen Wolf eingeleitet, ohne die leiseste Ahnung, daß damit ein politischer Kampf grundsätzlicher Art beginnen werde. Von der Verhaftung Wolfs nahm der Justizminister zwei Tage später durch die Presse Kenntnis; die Presse erfuhr davon aus Berlin.

[...]

Es ist keine schwäbische Sache. Draußen im Reich beginnt eine Volksbewegung, die, nicht nur parteipolitisch geführt, eine Änderung des Gesetzes erzwingen will. Vielleicht läßt sich in diesem Kampf um den § 218 doch ein sachlicher Ausweg finden. Die grundsätzliche Bedeutung des Stuttgarter Verfahrens bleibt bestehen. Das Urteil wird an das Gesetz gebunden sein, aber es kann doch wohl so lauten, daß dem Rechtsbewußtsein des Volkes Genüge getan wird. Es liegt im schwäbischen Volkscharakter so viel Verantwortungsbewußtsein und ursprüngliches Rechtsgefühl. Wird das Gericht in dieser Sache, unbeirrt von gesellschaftlichen Vorurteilen und politischer Hetze den richtigen Weg zu finden wissen?

Vossische Zeitung, 15. März 1931. Ausschnitte.

5. Sergej Tretjakow: [Wolfs Rede im Berliner Sportpalast]

(1936)

[...] Ich habe ihn im Berliner Sportpalast gehört. Zwölftausend Menschen füllten den Saal. Um die Tribüne herum standen sie dichtgedrängt, und die Tribüne mit dem Präsidiumstisch wirkte inmitten des Menschentrubels wie ein Floß. Wolf und die Kienle wurden mit Blumen und Zurufen begrüßt. Die Worte des Redners fielen in eine völlig überhitzte Masse.

»Trotz des Paragraphen zweihundertundachtzehn«, sagte Wolf ruhig von der Tribüne herab, und seine zur Größe von Kanonenkugeln angewachsenen Worte peitschten als

Lautsprechergeknatter über die Zuhörer, »trotz des Verbotes werden in Deutschland jährlich eine Million Abtreibungen vorgenommen, von denen nur sechstausend in die Fänge des Gerichts geraten.
Fünfundzwanzigtausend Frauenleichen häufen sich jedes Jahr zu Füßen des Paragraphen zweihundertundachtzehn. Das sind die, die an einem mißglückten Abort gestorben sind.«
»Schande!« entrüstete sich der Saal.
Er entrüstete sich mit hoher Frauenstimme.
»Achtzigtausend Frauen kehren jedes Jahr, von der Abtreibung zu Invaliden gemacht, in ihre Familien zurück.«
»Weg mit dem Paragraphen!« grollte der Saal.
»Es heißt, der Paragraph sei nötig, damit die Bevölkerungszuwachsrate nicht sinkt. Sie sind auf dem falschen Gleis. In der Sowjetunion, wo Abtreibungen erlaubt sind, beträgt der Zuwachs dreiundzwanzig auf tausend. In Deutschland aber, wo Abtreibung bestraft wird, ist der Zuwachs nur halb so groß – zwölf auf tausend.«
»Es lebe die Sowjetunion!« erwiderte der Saal.
»Sie schreien von Kulturbolschewismus«, fuhr Wolf fort. »Aber wißt ihr, daß in der Sowjetunion auf tausend Gebärende nur drei Fälle von Kindbettfieber kommen, in Deutschland aber – hört, hört! – fünfzehn auf tausend. Fünf-zehn!«
Nach einer Straßenversammlung sah ich, wie Schupos Wolf mit Gummiknüppeln schlugen, nur weil er aus einer Zuhörerschar herauskam.
In Süddeutschland forderten die Geistlichen in ihren Predigten die Gemeindemitglieder auf, Wolfs Vorträge zu boykottieren. Faschistische Rowdys warfen den zu einer Versammlung gekommenen Frauen aufgeblasene Kondoms zu und schrien: »Das braucht ihr!«

Sergej Tretjakow: Menschen eines Scheiterhaufens, Moskau 1936. In: ders.: Lyrik. Dramatik. Prosa. Reclam Universal-Bibliothek, Bd. 70. Reclam, Leipzig 1972, S. 395f. Ausschnitt.

6. Die Volksschädlinge

(1933)

Schwabenstreich oder Justizskandal?
Das Verfahren gegen Wolf-Kienle wird eingestellt

5 Wie uns an zuständiger Stelle bestätigt wird, hat die erste Strafkammer des Landgerichts Stuttgart das Verfahren gegen Frau Dr. Kienle und Dr. Friedrich Wolf wegen Vergehens gegen Par. 218 vorläufig eingestellt. Nachdem Frau Dr. Kienle sich in Frankreich mit einem Amerikaner
10 verheiratet hatte und mit unbekanntem Aufenthalt nach Amerika übergesiedelt war, stand dieser Entschluß zu erwarten. Das Verfahren gegen den Stuttgarter Arzt Dr. Friedrich Wolf wurde eingestellt, weil seine Durchführung von der des Prozesses Kienle abhängig ist. Haftbefehl und
15 Steckbrief gegen Frau Dr. Kienle bleibt aufrechterhalten.

In unserem letzten Bericht über den Skandalfall Dr. Wolf-Kienle haben wir schon die Vermutung ausgedrückt, daß die eineinhalb Jahre dauernde Voruntersuchung umsonst sein werde, da ja vor Monaten schon bekannt war, daß
20 Frau Kienle ihre Flucht ins Ausland bemerkbar genug vorbereitete. Allen Warnungen zum Trotz hat man diese bolschewistische Agitatorin freigelassen, ja sie durfte sogar vorübergehend in Frankfurt weiter »praktizieren«. Genau so wie die Frauenschänderin hat auch Dr. Wolf ungehin-
25 dert sein verdammenswertes Werk weiter betrieben. In Wort und Bild haben beide, alle menschlichen Gesetze verhöhnend, ungehindert von einer sonst so pflichteifrigen Polizei, für den § 218 agitiert. Ja, wäre es ein SA-Mann gewesen, der vielleicht in Notwehr einem bolschewisti-
30 schen Strauchritter eine verdiente Abfuhr gegeben hätte, diesen hätte man eingesperrt, ohne Gnad und Barmherzigkeit. Anscheinend aber waren im Fall Wolf-Kienle gewisse Interessen zu schützen, oder hält man gar diese Lösung in Anbetracht des riesigen Umfanges des Prozesses für die
35 bessere? Wir wissen es nicht, und die Justiz schweigt!

Unerklärlich jedenfalls ist es uns, daß nunmehr auch das Verfahren gegen Dr. Wolf eingestellt wird. In diesem Falle dürfte doch durch die Voruntersuchung genügend Beweismaterial zusammengebracht worden sein, um den Dr. Wolf wenigstens für ein paar Jahre der menschlichen Gesellschaft zu entziehen. Aber auch hier gibt unbegreiflicherweise die Justiz klein bei und übernimmt großmütig die Kosten auf die Staatskasse. Es ist noch nicht so lange her, da standen eine ganze Reihe nationalsozialistischer Führer unter Polizeiaufsicht, und diese kämpften wahrhaftig nur für eine bessere Zukunft unseres Volkes. Den größten Schädlingen an der Volksgesundheit aber ist es möglich gewesen, ungehindert ins Ausland zu flüchten und sich so der gerechten Strafe zu entziehen.
Abzuwarten bliebe vorerst noch, wann ein Auslieferungsverfahren wegen der Frau Dr. Kienle eingeleitet wird.

NS-Kurier, 12. 1. 1933.

Zeittafel zu Leben und Werk

1888 Friedrich Wolf wird am 23. Dezember in Neuwied am Rhein geboren.

1899 Der Gymnasiast Friedrich Wolf verläßt heimlich das Elternhaus und heuert als Schiffsjunge an.

1907 Wolf legt das Abitur ab; das Kunststudium in München wird bald wieder abgebrochen; Wanderung nach Italien. Beginn des Medizinstudiums in Tübingen, später in Berlin.

1912 Nach Dissertation Assistenzarzt in Meißen, Dresden und Bonn.

1914 Reise als Schiffsarzt. Heirat mit Käthe Gumpold. Truppenarzt an der Westfront.

1917 Drama ›Mohammed‹.

1918 Wolf bekennt sich als Kriegsgegner und Sozialist, wird Mitglied des Zentralen Arbeiter- und Soldatenrates; Mitglied der USPD; lebt in Langebrück bei Dresden.

1919 Das Dresdner Staatstheater führt ›Das bist du‹ auf. Drama ›Der Unbedingte‹.

1920 Wolf wird Stadtarzt in Remscheid; während des Ruhrkampfes zur Abwehr des Kapp-Putsches befehligt Wolf eine proletarische Hundertschaft.

1921 Aufenthalt in der Worpsweder Gemeinschaftssiedlung Barkenhoff; Übersiedelung nach Hechingen auf der Alb, dort eigene Praxis. Drama ›Die Schwarze Sonne‹.

1922 Zweite Ehe mit Else Dreibholz; das Bauernkriegsdrama ›Der Arme Konrad‹ entsteht.

1925 Drama ›Der Mann im Dunkel‹. Roman ›Kreatur‹ entsteht (erscheint 1926). Erzählung ›Der Sprung durch den Tod‹.

1926 Wolf schreibt das populäre medizinische Hausbuch auf homöopathischer Grundlage ›Die Natur als Arzt und Helfer‹ (erscheint 1928).

1927 Übersiedelung nach Stuttgart. Dramen ›Kolonne Hund‹ und ›Koritke‹.

1928 Wolf wird KPD-Mitglied, hält die Rede ›Kunst ist Waffe‹. Mitbegründer des ›Volksfilmverbandes‹ in Stuttgart, Mitarbeit im ›Arbeiter-Radio-Bund‹, im ›Bund Proletarisch-Revolutionärer Schriftsteller‹ und im ›Arbeiter-Theater-Bund Deutschland‹. ›Kampf im Kohlenpott‹ (Erzählungen).

1929 Uraufführung von ›Cyankali‹. Es entstehen die Hörspiele ›SOS ... Rao, Rao ... foyn. ‹Krassin› rettet ‹Italia›‹ sowie ›John D. erobert die Welt‹ (erscheint 1930).

1930 Uraufführung ›Die Matrosen von Cattaro‹. ›Tai Yang erwacht‹ wird geschrieben und von Piscator inszeniert (1930/31). Die antifaschistische Komödie ›Die Jungens von Mons‹ entsteht. Verfilmung von ›Cyankali‹.

1931 Verhaftung und Freilassung Wolfs in Stuttgart im Zusammenhang mit der Anklage, gegen den § 218 verstoßen zu haben. Broschüre ›Sturm gegen den § 218‹. Erste Reise in die Sowjetunion.

1932 Wolf leitet den ›Spieltrupp Südwest‹ in Stuttgart. Aufführung der Agitprop-(Agitation-und-Propaganda-) Stücke ›Wie stehn die Fronten?‹, ›Von New York bis Schanghai‹ sowie ›Bauer Baetz‹ (1933). Zweite Reise in die Sowjetunion.

1933 Über Österreich, Schweiz, Frankreich emigriert Wolf in die UdSSR.

1934 Aufführung von ›Professor Mamlock‹ in Warschau und Zürich (erscheint 1935).

1935 Drama ›Florisdorf‹.

1937 Drama ›Das trojanische Pferd‹.

1938 Wolf lebt in Paris und Sanary (Frankreich). Der Roman ›Zwei an der Grenze‹ entsteht.

1939 Wolf wird von französischen Behörden verhaftet und interniert. Schreibt das Drama ›Beaumarchais‹ (erscheint 1941).

1941 Durch Verleihung der sowjetischen Staatsbürgerschaft kann Wolf in die UdSSR zurückkehren; nimmt als Propagandist auf sowjetischer Seite am Krieg teil; schult später Kriegsgefangene um und gründet das Nationalkomitee ›Freies Deutschland‹ mit.

1944 Drama ›Dr. Lilli Wanner‹. Roman ›Heimkehr der Söhne‹.

1945 Rückkehr nach Berlin; rege kulturpolitische Aufbauaktivitäten.

1946 Hält in Stuttgart die programmatische Rede ›Der Mut zum Leben‹.

1949 Nationalpreis der DDR. ›Bitte der Nächste‹ (Satiren).

1950 Wolf wird Botschafter der DDR in Polen (bis 1951). Das Lustspiel ›Bürgermeister Anna‹ beendet; Uraufführung des Films ›Rat der Götter‹ (Szenarium von Friedrich Wolf).

1951 ›Lilo Herrmann: Die Studentin von Stuttgart‹, Poem, von Paul Dessau vertont. ›Bummi und andere Tiergeschichten‹.

1952 Wolf beendet den Roman ›Menetekel‹, arbeitet an dem historischen Schauspiel ›Thomas Münzer‹ (erscheint 1953).

1953 Wolf stirbt am 5. Oktober in seinem Haus in Lehnitz bei Berlin.

Auswahlbibliographie

1. Ausgaben

Friedrich Wolf: Cyankali. § 218. (Das neue Drama, Bd. I.) Internationaler Arbeiter-Verlag, Berlin, Wien, Zürich 1929.
Friedrich Wolf: Gesammelte Werke in 16 Bänden. Aufbau-Verlag, Berlin 1961–1969.
Friedrich Wolf: Briefwechsel. Aufbau-Verlag, Berlin und Weimar 1968.
Friedrich Wolf: Briefe. Aufbau-Verlag, Berlin und Weimar 1969.
Wolf. Ein Lesebuch für unsere Zeit. Auswahl und Einleitung von Klaus Hammer. 7. überarb. Auflage. (Lesebücher für unsere Zeit.) Aufbau-Verlag, Berlin und Weimar 1979.
Friedrich Wolf: Dramen, Röderberg Verlag, Frankfurt a. M. 1979.

2. Weimarer Republik und § 218

Weimarer Republik. Hrsg. vom Kunstamt Kreuzberg und dem Institut für Theaterwissenschaft der Universität Köln. Elefanten Press, Berlin ^{2}1977.
Cyankali von Friedrich Wolf. Eine Dokumentation. Hrsg. von Emmi Wolf und Klaus Hammer. Aufbau-Verlag, Berlin und Weimar 1978.
Ingrid Zwerenz: Frauen. Die Geschichte des § 218. Fischer Taschenbuch, Bd. 7505. Fischer Boot. Fischer, Frankfurt a. M. 1980.
Susanne v. Paczensky (Hrsg.): Wir sind keine Mörderinnen! Streitschrift gegen eine Einschüchterungskampagne. rororo aktuell 4635. Rowohlt, Reinbek 1980.

3. Literatur zu Friedrich Wolf

Walther Pollatschek: Das Bühnenwerk Friedrich Wolfs. Henschel-Verlag, Berlin (DDR) 1958.
Walther Pollatschek: Friedrich Wolf in Bildern. Verlag Enzyklopädie, Leipzig 1960.
Walther Pollatschek: Friedrich Wolf. Eine Biographie. Aufbau-Verlag, Berlin 1963.
Walther Pollatschek: Friedrich Wolf. Leben und Schaffen. Reclams Universal-Bibliothek, Bd. 555. Reclam, Leipzig 1972.

Jack Zipes: Bertolt Brecht oder Friedrich Wolf? Zur Tradition des Dramas in der DDR. In: Literatur und Literaturtheorie der DDR. Hrsg. von P. U. Hohendahl und P. Herminghouse. edition suhrkamp, Bd. 779. Suhrkamp, Frankfurt a. M. 1976, S. 191–240.

Johanna Rosenberg: Kathartisches Modell kämpfender Kunst – Friedrich Wolf. In: Literaturdebatten in der Weimarer Republik. Hrsg. von Manfred Nössig, J. Rosenberg, Bärbel Schrader. Aufbau-Verlag, Berlin und Weimar 1980, S. 455–464.

Werner Jehser: Friedrich Wolf. Sein Leben und Werk. Verlag das europäische buch, Berlin 1982.

Friedrich Wolf. Die Jahre in Stuttgart 1927–1933. Ein Beispiel. Hrsg. vom Projekt Zeitgeschichte im Kulturamt der Landeshauptstadt Stuttgart. Katalog und Ausstellung: Michael Kienzle und Dirk Mende. Stuttgart 1983.

Auf wieviel Pferden ich geritten ... Der junge Friedrich Wolf. Eine Dokumentation. Hrsg. von Emmi Wolf und Brigitte Struzyk. Aufbau, Berlin und Weimar 1988.

Henning Müller: Wer war Wolf? Friedrich Wolf (1888–1953) in Selbstzeugnissen, Bilddokumenten und Erinnerungen. Röderberg, Köln 1988.

Lew Hohmann: Friedrich Wolf. Bilder einer deutschen Biografie. Dokumentation. Henschel, Berlin 1988.

Georg Lukacs, Johannes R. Becher, Friedrich Wolf u. a.: Die Säuberung. Moskau 1939. Stenogramm einer geschlossenen Parteiversammlung. Hrsg. von Reinhard Müller. rororo-aktuell 13012, Rowohlt, Reinbek 1991.

Editionen für den Literaturunterricht

Herausgeber: Dietrich Steinbach

Ausgaben klassischer Werke mit Materialienanhang

Georg Büchner: Dantons Tod
Klettbuch 3512
Lenz und Oberlins Aufzeichnungen
Klettbuch 3527
Leonce und Lena
Klettbuch 35134
Woyzeck · Klettbuch 3516

Georg Büchner – Leben und Werk
Klettbuch 35195

Annette von Droste-Hülshoff: Die Judenbuche
Klettbuch 3518

Joseph von Eichendorff: Aus dem Leben eines Taugenichts
Klettbuch 3538

Theodor Fontane:
Effi Briest
Klettbuch 35181
Frau Jenny Treibel
Klettbuch 35112
Irrungen Wirrungen
Klettbuch 35173
Mathilde Möhring
Klettbuch 35174

Johann Wolfgang von Goethe:
Egmont
Klettbuch 35133
Faust · Der Tragödie erster Teil
Klettbuch 35123
Faust · Der Tragödie zweiter Teil
Klettbuch 35124
Geschichte Gottfriedens von Berlichingen mit der eisernen Hand dramatisirt
Klettbuch 35125
Iphigenie auf Tauris
Klettbuch 3528
Die Leiden des jungen Werther
Klettbuch 3519
Urfaust · Klettbuch 35142

Gerhart Hauptmann:
Der Biberpelz · Klettbuch 35136
Die Ratten · Klettbuch 35137

Friedrich Hebbel:
Maria Magdalene · Klettbuch 3539

Heinrich Heine:
Deutschland · Ein Wintermärchen · Klettbuch 35192
Heinrich Heine – Leben und Werk
Klettbuch 35199

E. T. A. Hoffmann:
Der Goldne Topf
Klettbuch 35165
E. T. A. Hoffmann – Ein universaler Künstler
Klettbuch 3529

Hugo von Hofmannsthal:
Ein Brief · Reitergeschichte
Klettbuch 35126

Ödön von Horváth:
Kasimir und Karoline
Klettbuch 35311

Franz Kafka: Erzählungen
Klettbuch 351581

Franz Kafka: Leben und Werk
Klettbuch 35197

Franz Kafka: Die Verwandlung
Klettbuch 35208

Klett